D0106617

SANGRE DE AMOR CORRESPONDIDO

NUEVA NARRATIVA HISPÁNICA

SEIX BARRAL
BARCELONA • CARACAS • MÉXICO

MANUEL PUIG

Sangre de amor correspondido

Cubierta: "Adán y Eva"
de Tamara de Lempicka

Primera edición: marzo de 1982

Tambor del Bruc, 10 - Sant Joan Despí (Barcelona)

ISBN: 84 322 1399 3
Depósito legal: B. 1.189 - 1982

Printed in Spain

PRIMERA PARTE

Capítulo I

—¿Cuál fue la última vez que me viste?

Él la vio por última vez hace diez años, ocho años. Después nunca más. Fue en Cocotá, Estado de Río. En la plaza, del lado de la iglesia ¿verdad? ella le fue al encuentro, tenían cita ¿o cómo fue la cosa? de ahí salieron juntos, hasta el Club Municipal, a bailar toda la noche. ¿Y qué más pasó con ella? estuvieron en el baile hasta las dos y media de la madrugada, después se fueron a un hotel a hacer sus cosas ¿está claro? aquella noche.

—¿Y nadie se dio cuenta, que una chica de quince años entraba a un hotel?

En el club había mucha gente, el pueblo no era muy grande, seis mil personas, seis mil habitantes. Pero se podía ir a un hotel, sin problemas, no ahí, en otro pueblo cerca ¿está claro? llegaron y tomaron una cervecita y demás. Fueron en automóvil, en esa época él tenía un Maverick, otros tiempos, después él entró en picada, y nunca más tuvo automóvil. El año que viene se va a comprar uno financiado, si Dios quiere.

—¿Qué baile era ése?

Era un baile con música de Roberto Carlos,

todo el tiempo, toda la noche discos de Roberto Carlos. También había otros lugares para ir a noviar, estaba la pileta de natación, para unos señores baños, y la cascada. Se subían por las piedras, una cascada llena de piedras, se ponían el bikini y el pantaloncito de baño, se metían entre los árboles, ahí mismo está la selva de veras.

—Yo te pregunté del baile, del baile de aquella noche.

El baile estaba abarrotado de gente, tres mil o cuatro mil personas. Ellos dos conocían a mucha gente, tanta, pero daba tiempo, ya se iba a presentar la ocasión de mandarse a mudar. Ella lo había esperado en la plaza, esperaba generalmente ahí, o a la salida de la iglesia, porque era muy católica. Si todo salía bien lo esperaba todas las noches en la puerta de la iglesia. A las ocho de la noche generalmente. Y de ahí rumbeaban al final para la casa de ella, o si no para la casa de una tía. Y ahí se quedaban, a él le servían un cafecito, o un bife, de aquellos bifazos que a él le gustan, todo eso. Él se quedaba como hasta las doce de la noche. En la casa de ella, de la madre. Estaban él y ella, y la madre, y la abuela. Y nada más. Ella tenía padre, pero el padre llegaba por lo general a eso de la una de la mañana. Era vendedor ambulante, y no llegaba hasta esa hora, pero antes se aparecía el hermano de ella, el Paulo, Paulo Rossi de nombre ¿no? Llegaba más o menos a esa hora, a medianoche, porque en esa época era jugador de fútbol también él. Pero no era el que jugaba mejor. En el Club de Deportes Cocotá. Fútbol de aficionados, no tenían sueldo. Todos los domingos a las tres y cuarto de la tarde. Y se entrenaban todos los miércoles y jueves, a eso de las cinco. Hasta que aquella noche del baile del sábado se fueron al hotel. En el baile estaban contentos, felices de la vida.

—¿De qué hablábamos en el baile? quiero ver si me estás diciendo la verdad.

Hablaban de amor, nada más que palabras bien dulces. Besitos, él le hacía convites y más convites, para salir del baile, porque hasta esa época no habían tenido ocasión de ir al hotel, porque ella todavía era muy joven, virgen ¿se entiende? Y fue a partir de aquel sábado, ella tomó unas copitas y se fueron al hotel, y ahí, ésa fue la última vez que él la vio ¿no es cierto? esa noche del baile y al otro día. Fue a la llegada, volviendo de Floresta de Cocotá a Cocotá mismo, que es otro pueblo, fue entonces que él la citó para las ocho y media del día siguiente, que era domingo, en la casa de ella. Pero él hasta las once y cuarto de la noche no llegó. Y ahí se quedaron conversando, peleando, discutiendo, él se le quería escapar, y todo el mundo se le vino encima, la madre, y se le vino encima la abuela, "¡No abandone a mi hija!", toda esa historia. Y él siempre escurriéndosele, "¡No, yo quiero viajar, tengo que abrirme camino en la vida! después sí voy a volver..." Pero no volvió nunca más. En todo este tiempo no fue por aquellos lados más que una vez, de paseo ¿no?

—Esa vez que volviste ¿alcanzaste a verme de lejos?

Esa vez que él volvió le parece que la vio, ella

trató de acercársele, pero él se le alejó ¿verdad? Aunque la próxima vez que él vuelva por allá, va a ver si le suelta alguna palabra más dulzona, a ella, alguna palabra de amigo, como al descuido ¿está claro? nada más que para aliviarle ese problema mental de ella, no había quedado bien de la cabeza, decían todos. Eso fue lo que la madre de ella más le pidió, "Ya sé que entre los dos no hay más nada, pero tendrías que conversarle un poco ¿qué te cuesta?" La madre le pidió que cambiase alguna palabrita que otra con la hija, como amigo, que la llamase desde el portoncito, que charlase, que fuese hasta la casa de ella, a hablar de cualquier cosa. Y acordarse de otros tiempos, y por ahí pedirle disculpas, por tanto alejamiento, etcétera, etcétera. Porque ella no se casó, que él sepa todavía ella no se casó ¿quién se casaría con una mujer trastornada de la cabeza? Él está seguro de que casi ni novios tuvo, porque nunca la vieron con nadie. De aquella última noche en el baile él se acuerda todo, hasta el último detalle. Ella se apareció con un vestido nuevo verde, y él no se quedó atrás, apareció con un pantalón Lee que había salido en esa época, y una camisa Vuelta al Mundo. Era una camisa muy linda, poca gente la tenía, de precio ¿está claro? el porqué del nombre vaya a saber, la habían lanzado en esa época en todo el mundo, sería por eso que se llamaba Vuelta al Mundo. Llegaron al baile y empezaron a conversar, todo iba sobre rieles, hasta ese momento se entendían de lo mejor, él siempre insistiendo para que saliesen del baile y estar solos, "Mi cielo, quiero tu amor, me quiero casar, ¿está claro? pero no puede ser ahora en seguida". Porque en esa época él no tenía nada ¿está claro? era un pobretón, pero con experiencia de la vida y quería irse de ahí del pueblo ¿o no? Ahí entonces ella insistía en que él jugase al fútbol en el pueblo. Ella quería que él estudiase y jugase al fútbol en el pueblo.

—¿Qué era lo que yo quería que te pusieses a hacer? no me vayas a mentir.

En aquella época ella quería que él se hiciese... ingeniero, en aquella época, pero él no tenía medios ¿se entiende? Los padres de él no tenían dinero en esa época. Entonces él le dijo que no se podía, él se tenía que abrir un camino en la vida, en esa época lo que él hacía era... proyectos eléctricos ¿está claro? Hacía estudios, muchos, sobre proyectos eléctricos, entonces generalmente ella insistía en que él estudiase más todavía, y siempre vuelta a lo mismo. Ahí él decía, "No se puede porque las finanzas no dan", y ahí ella le decía que lo ayudaba y vuelta a lo mismo ¿está claro? Él le dijo, "M'hijita, no se puede, es realmente imposible para mí, no tengo capital suficiente". Y de ese problema no salieron, una hora hablaban de fútbol, otra hora salía el tema de los estudios y qué sé cuánto, ella dijo que le pedía al padre de ella misma que le pagase los estudios. Él dijo que no, no aceptaba, para él no era importante hasta ese punto. Quería hacerse una vida propia ¿está claro? Y a cierta hora salieron del baile. Porque ella esa noche sintió que él se quería ir de veras del pueblo, fue entonces que le entregó aquello, pensando que así lo amarraba, "No te vayas nada, te vas a quedar conmigo ¿verdad?" Ahí él le dijo que no, que se iba lo mismo ¿está claro cómo fue la cosa? pero la verdad es que él no le dijo que la iba a abandonar esa noche, él le conocía los puntos flacos muy bien, ni muerto le iba a decir una cosa así, lo importante era hacerla salir del baile, una vez afuera él se encargaba de lo demás. Al día siguiente sí se lo iba a decir. Después de que pasara esa noche. No pensaba que ella iba a quedar mal de la cabeza. Ahí él la metió en el automóvil, hablando ya de la cuestión, "Mi amor, nos vamos para otro pueblo, a gozar de algo nuevo, qué joder. Al fin de cuentas ya hace tres años que estamos de novios, y por eso creo que me merezco confianza", etcétera. Ella le dijo que no le iba a entregar nada. Ahí él le dijo que entonces se acababa todo, que no entendía las intenciones de ella. Ahí ella lloró, se largó a llorar a todo pulmón, y él no aflojó ni un tranco, estaba embalado, con copas encima ¿no? En fin, que siguieron camino. Se la montó como loco.

—¿En el hotel?

Una noche nada más, en aquel hotel. Ella le pide que vuelvan a ser novios, siempre que él vuelve por aquellos pagos ella le insiste. Quiere salir con él como sea, lo busca, le manda mensajes, papelitos, y él siempre se le escapa. Él sale a encontrarse con amigos ¿está claro? en ese pueblo tan lleno de árboles, y plazoletas. Y entonces le cae el papelito, "¡Hola! ¿cómo estás? yo siempre acordándome de aquella noche. Te espero en el banco aquel, el de esta misma plaza", firmado María da Gloria. Sí, claro que él se acuerda, pero no se puede, ni le devuelve el papelito ni nada ¿está claro?

—Dicen que me llevaste una vez entre unos matorrales, solos lejos por el campo ¿es cierto?

Fue a la de pelo negro que él se llevó a los matorrales, una cuestión muy diferente. La rubia fue en el hotel, la María da Gloria. Fue lo siguiente: llegaron a la pieza, se dieron una ducha ¿no? la ropa no había modo que ella se la sacase. Él se puso medio furioso. La agarró con fuerza, "¡No!", gritó ella, "¡A acostarse se ha dicho!" Él la acostó y le sacó la ropa, se empezaron a besar, a morderse y esas cosas. Ella lloraba como loca, desesperadamente. Entonces fue que él habló, "M'hijita, es inútil, de aquí no te vas a escapar, la noche es tuya y hay que aprovecharla". Y una serie de palabreríos que no se terminaban nunca. Estuvieron tres años de novios, qué joder, le tocaba a él y no se la iba a dejar a otro. Digamos que él la dejaba como tenía pensado, y otro tipo venía y se la mandaba al buche en vez de él, entonces el embromado era él después de tres años de novios ¿está claro? Por eso se lo dijo a ella. Y le enseñó cómo se hacían las cosas, la puso para abajo, y para arriba, la mordió toda, hizo que ella lo mamara todo, que lo lamiera por todas partes ¿está claro? Fue una orgía total ¿verdad? hubo de todo, hubo una que lloró, hubo risa más tarde, ella se empinó varias copas.

—No es cierto, yo nunca tomé en la vida. A mí me descompone la bebida, en seguida vomito, o me da dolor de cabeza muy fuerte.

Era whisky marca Barbante, coñac Dubar, la

bebida mejor para hacerle perder los estribos ¿está claro? una copa detrás de la otra se fue empinando. Cervezas y algún refresco antes en el club, mucha cerveza, mucha sed con tanta gente y el baile. Ahí salieron. Y a las dos y cuarto de la mañana él la dejó en la casa. Pero al irse vio a otra mujer esperando, en la vereda de enfrente. Una vecina de ella que lo estaba esperando, sin que él lo supiera. Al pasar la mujer lo llamó, "¡Pst!... hola ¿cómo estás?" Y él se quedó con ella. Terminó lo poco que quedaba de la noche durmiendo en la casa de esa otra mujer.

—¿Después que estuviste conmigo en el hotel? eso no es cierto.

A él le quedaban fuerzas todavía, era como un potrillo entonces, dieciocho años o un poco más, lleno de fuerzas ¿no? fue una maravilla aquello, sin lugar a broma. Ocho o diez cervezas en el baile, y después el coñac Dubar, una de las bebidas más caras de aquella época. Muy conocida en Brasil, conocidísima, ahora parece que no existe más, por lo menos no se oye hablar. O existe nada más que en aquellos pueblos de mierda ¿está claro? Pero él con toda esa cerveza encima no estaba debilitado, algo fuera de serie, pistoneaba a todo dar, aguantaba hasta cuatro horas con el arma en ristre. Que a nadie le quepa duda. También había habido otras noches importantes para los dos, antes, noches de carnaval. Iban siempre juntos a esas fiestas.

—¿Pero cómo en mi casa no se dieron cuenta, de lo que pasó esa noche?

Pocos se acordarán ya de aquella noche, era de sábado para domingo ¿qué más pasó? al llegar a la casa de ella, lo invitaron para un almuerzo al día siguiente ahí mismo a la una de la tarde, antes del partido de fútbol. Era el día en que iba a terminar con ella y jugar el último partido para el equipo del pueblo, el Club de Deportes Cocotá.

—¿El último partido?

Porque él se iba a ir, nunca más iba a formar parte del equipo, ni de nada. Él solito planeó todo, la única que lo sabía era la madre de él. Ella estaba ahí con todo el pelo canoso sin peinarse ni un carajo, que no puede levantar los brazos por el reumatismo. Él se lo dijo que se iba y la madre se quedó mirándolo seria, pero después largó la risa. Él entonces le dijo, "Usted parece una gallina bataraza con ese pelo canoso y todo crespo, todo sin peinar ¿a qué tengo tanta hermana si no sirven para peinarla un poco?" La madre de él es buena, si nadie se mete con ella, son las gallinas batarazas las que dan picotazos que pueden lastimar. Para el almuerzo en la casa de la María da Gloria a la una menos cuarto él ya estaba ahí ¿verdad? un almuerzo fuera de serie ¿está claro? mucha cosa sabrosa, gallina, camarones, fideos, una serie de cosas, ensalada de lechuga, tomates, todo eso. Entonces sucedió lo siguiente, estaban todos sentados, él, el padre de ella, la madre de ella, y ella colgada del cuello de él, y por ahí la miró a la madre y le dijo, "Lo siento mucho, mamá, pero yo lo quiero a este muchacho, lo amo de todo corazón y nada nos va a separar". Y ahí la madre le dijo, "Ya lo sé, te tiene trastornada este joven". Ahí siguieron conversando, él siempre haciéndose respetar, como siempre, aunque era el más pobre. Y por ahí dijo, "M'hijita, el problema es el siguiente, yo también te quiero, realmente te quiero mucho, te quiero profundamente". A él ella le gustaba de veras ¿está claro?

—No viniste ese domingo a comer la gallina y los camarones. Nadie te había invitado.

Quién sabe si ella se acuerda de todas esas cosas, con la enfermedad que le vino. A él le escribía cartas pero él nunca contestó, al pueblo de Baurú, donde él se había ido, estaba trabajando para la compañía de electricidad. Para la CESP, Compañía de Electricidad del Estado de San Pablo. Ella siempre le escribía ¿no? Y hubo otro problema. Ahí, después del almuerzo, de ese almuerzo fantástico, cuando dieron las tres él se estaba yendo, para la cancha de fútbol, el partido empezaba a las tres y cuarto. Era para decidir el campeonato, Club de Deportes Cocotá o Náutico de Teixeira. Ahí ella le dijo que no fuera a jugar, ese día no. Y él le contestó, "M'hijita, el problema es el siguiente: hoy voy a jugar bien, brillantemente". Y ella le contestó, "Si ése es el problema soy yo quien no va; no te quiero ver jugar brillantemente, como siempre has jugado". Él le dijo que podía hacer lo que le diera la gana, y se fue. En ese partido hizo unos cinco goles. Los únicos cinco goles del partido los hizo él. Él estaba con toda la cuerda dada esa tarde. Las hembras vibraban, mucha mujer, muchas que gustaban de él estaban ahí, amigas de ella, compañeras a las que les gustaba hablar con él y noviar a escondidas ¿está claro? Y los dos mejores amigos de él, Donato el ala media y Farelinho el camisa 10, centroforward. Todos eran amigos de él, pero esos dos eran de veras excelentes amigos. Y otro más, que después se murió, hace años ya, y por eso él se olvidó y hacía tiempo que no se acordaba más. Y se fueron a festejar, tomaron unas cervezas después del partido, gran victoria, una fiesta bárbara, muchas hembras aplaudiendo en un bar que ahora ya no existe más. Y después se fueron a la casa de ella a festejar.

—Eso no es cierto, en mi casa no los dejaban entrar, de eso estoy segura.

Él le dijo que se metía en el automóvil ya, y se iba para la chacra de él, de la madre. Y se fue, se dio un baño, y la madre presintió que él se iba ya, "Vieja, usted ya se dio cuenta, me voy mañana a las seis y media de la mañana, y no se me asuste así, no puedo seguir viviendo de este modo, ando sin dinero, y necesito para comprar ropa, andar elegante, con categoría; son muchas las que me andan buscando, y preciso cuatro o cinco camisas, cuatro o cinco pantalones, y un frasco de perfume. Vieja, mi problema es el siguiente: le pido nada más que cinco cruzeiros". En aquella época era algo, un billete de cinco cruzeiros. La madre le dijo que con eso solo no podía irse ¿y después qué iba a hacer? Él le dio un abrazo y se fue y se quedó por ahí hasta hoy, ya con treinta y un años encima, y eso es todo, dieciséis horas de ómnibus hasta Baurú, donde pedían personal para la CESP. No había bajado del ómnibus y ya se quería volver, no había dejado de pensar un solo momento, ya estaba con añoranza del público de la cancha del club. Quería volverse con el mismo ómnibus a Cocotá pero no pudo, no tenía para pagar el pasaje de vuelta. Y no había dormido en todo el viaje, iba mirando todos los campos que la carretera iba cruzando, que él nunca había visto. Y qué tanto joder, lo bueno es que se había divertido, se la había mandado al buche. En aquella época él no tenía tantos problemas, ni el diez por ciento de los que tiene hoy en día. Los que no le surgieron entonces le surgen ahora. Pero a ella le gustó demasiado aquello la primera vez, "No te gustó tanto porque dolió muchísimo ¿verdad?", "No, el problema es el siguiente: yo tendría que haberte hecho caso, Josemar, y dejar que me hicieras esto el primer día que te conocí". Y ahí él le dijo, "Eso imposible porque cuando te conocí tenías doce años ¿o menos? en aquella época debías tener diez años. Yo nunca te habría hecho esto ¿está claro? ahora sí, ya estás en buena edad, aunque lo mismo te dolió" ¡Él andaba loco por ella!

—No me acuerdo de cómo era ese dolor, por más esfuerzo que hago no puedo acordarme.

Es difícil acordarse de todo, ella tenía de quince para dieciséis años, él trata en lo posible de olvidarse de ella, si habla mucho de ese tema le viene la gana de ir a verla ¿está claro? trata de olvidarse. Es que fueron muchas las noches que pasaron noviando, qué joder, tantas noches noviando, se iban a ver la luna y las estrellas. Y cosas así. Primero la plaza, después todas las casas del pueblo, normalmente hasta medianoche, paseaban, de veras, es cierto que paseaban, y de día se iban a pescar. Ella les tenía un miedo bárbaro a las cobras, él agarraba esas cobras de agua y se las tiraba encima, para jugar, yacarés, cría recién nacida de yacaré. Ella era miedosa.

—Si era miedosa ¿cómo me dejé encerrar en la pieza del hotel?

Primero no, pero a partir del momento que empezaron sí tuvo miedo. Ahí ella lloraba, porque el dolor era fuerte ¿está claro? ella le decía que no, que no, que no, que no, hasta el último momento, y él insistiendo, que sí, que sí. Porque él se lo dijo, "Si el asunto no se hace esta noche... no se hace más. Si eso está guardado para mí como siempre me has dicho, entonces lo quiero hoy. Si no me lo das hoy no lo quiero nunca más y me enojo para siempre". Y la noche siguiente, la noche del domingo estuvo con ella desde las nueve y cuarto más o menos hasta las tres y algo de la mañana. Hablando nada más que de eso, bueno, porque ella en general habló más que él ¿no? porque la mujer normalmente habla más que el tipo en esos trances, "Josemar, yo te quiero de verdad ¿está claro? lo único que quiero es estar al lado tuyo, ya para mí ningún otro hombre existe, antes te quería, ahora te quiero mucho más ¿verdad?" Y él le dijo que era inútil hablar, a él ella le gustaba de verdad, pero sin un centavo, tenía que salir disparando de ahí ¿o no? Él nunca más le dio el gusto de escucharle las quejas. Pero esa noche la lastimó, la hirió.

—¿Me lastimaste y me heriste?

Ella lloraba, lloraba desesperadamente, era la primera noche, ella nunca había sufrido así, nunca la habían operado de nada, y realmente es algo que lastima y hiere. Él vio que salía sangre ¿está claro? sangre en cantidad. Ahí él buscó y vio la trusita de ella sobre la cama, y con eso le secaba la sangre, con la trusita misma. La misma trusa chiquita de la misma marca que usaban todas las del pueblo. Y él le fue secando todo, y limpiándole. Limpiaba y volvía para adentro, todo lo que se podía. Las cosas iban marchando bien, forzando un poco la cuestión, hasta que no entró todo él no dejó de empujar. Hasta que no llegó hasta la bolsa de los huevos no paró. Ahí sí ya paró. Ella temblaba, sentía frío, le decía que estaba sintiendo frío. Él le decía, "Entonces basta ¿te lo saco entonces?" Y ella que no, que insistiese, que siguiese entrando, cada vez más. Y no hubo más problemas, todo en orden. La última noche cuando se despidieron lo volvieron a hacer parados, debajo de un árbol. Se estaba despidiendo de ella, diciendo que se iba. No iba a volver, no se iba a quedar con ella, etcétera, y al mismo tiempo él le decía, "M'hijita, voy a volver, no te preocupes, nosotros dos nos vamos a casar". Y ahí se volvieron a incrustar, ahí parados, otra vez más ¿verdad? Una cosa fuera de lo común, bien impresionante. De ahí en adelante él parece que se olvidó, trató de olvidarse y no se acuerda ya más nada.

—No vayas a creer lo que andan diciendo de mí.

Parece ser que a partir de esa última noche se echó a perder la cuestión, porque tres años después él volvió y la madre de ella se dio vuelta por la calle y le dijo, "Hola, Josemar". La madre de ella lo mandó a llamar particularmente, para que fuese a hablar con ella. La abuela, que era tan buena, muy amiga de él, ya muy vieja, estaba enferma para entonces. La abuela y la madre le mandaron a decir cosas, "Si no quisieras verla, si no quisieras hablar con ella, nos encargamos de que salga, ella no sabe que estás de vuelta por acá". Él dijo, "Yo sí voy a su casa, señora, pero pídale que no se aparezca, así nosotros podemos conversar". Y estaba en ese asunto ya más de tres horas conversando con la madre de ella ¿no?

—En mi casa nunca te quisieron, la que te quería era yo.

La madre de ella le siguió diciendo, "El problema es el siguiente: comprendo lo que estás hablando, pero no la abandones, tendrías que volver con ella, para ver si se repone y queda bien de la cabeza ¿está claro? a partir del momento de la separación no tuvo más sosiego, se puso rebelde, nerviosa, peleadora en casa, le contestaba mal a todo el mundo; y después peor, las crisis de nervios, locura ¿te das cuenta? y generalmente te veía en sueños; hablaba '¡Necesito a Josemar! ¡lo necesito! lo adoro, lo quiero tanto... Me voy a terminar matando por causa de él' ¿te das cuenta?" Y él estaba en situación difícil viendo aquel problema ¿verdad? y por el otro lado el problema de él. Y la madre de ella seguía, "Lo peor es que ella te ve, casi todos los días, cuando se va a dormir, aunque estés lejos, en el Estado de San Pablo; y a veces también te ve despierta; y siempre que te ve te oye decirle cosas buenas, palabras dulces de novios, y por eso no te puede olvidar; si ella estuviera bien de sus nervios con el tiempo todo se arreglaría, porque todas las de la edad de ella que se enamoran... si el muchacho no las quiere y se va a otro pueblo poco a poco se van conformando a no verlo más. Se conforman porque no lo ven más". Entre los dos problemas, el de ella y el de él ¡que joder! él mejor se ocupó del de él ¿verdad? Pero en esa época tenía una hembrita, y preciosa, que lo quería ¿verdad? Se quedó sin saber qué hacer, era inútil, se tenía que ir, él fue franco con la madre de ella ¿está claro? abrió el libro, el libro de la vida de él se lo abrió, pero sin contar lo peor porque entonces habría lío, no lío muy bravo, pero pavadas de habladurías que nunca se sabe, porque nadie supo de nada, quedó entre él y ella solos y basta, todo en orden. Al salir él se dio vuelta por la calle y miró la ventana de ella, no estaba como antes, despidiéndose con la mano, hasta que él doblaba por la calle de los árboles aquellos bien altos.

—Nada de eso es cierto. Nunca te dejaron entrar en mi casa, ni antes ni ahora.

Capítulo II

¿Dónde es que él puso los cigarros? A veces cuando se cambia de camisa no encuentra más el paquete, y tiene que fumarse un buen cigarro, ahora mismo. A él lo quisieron separar de ella, todos hicieron lo posible. Le decían al padre de ella que él era un sinvergüenza, un haragán, y cosas peores todavía. Ella nunca creyó lo que decían de él ¿verdad? y ahora que él no la ve, a él le gustaría que ella supiera eso ¿está claro? que él es una persona decente.

—¿Yo era igual entonces a como soy ahora? ¿cómo tenía el pelo? estoy segura de que no te vas a acordar.

Ella tenía el pelo largo, rubio, hija de italianos. Pero él no encuentra los fósforos, está con muchos problemas, la madre enferma, le pidieron un presupuesto para poner todos azulejos nuevos en el baño de un departamento viejo, y lo dio, y ahora subieron los precios de los materiales y no va a ganar nada, está con deudas, carajo, qué vida es ésa, a él le gusta el trabajo de electricista, no de albañil. Y no encuentra los fósforos, tiene que fumar para acordarse de aquello.

—Hay que acordarse de lo que pasó de verdad, no de las mentiras.

Él se acuerda de lo que pasó ¿está claro? nada más que de eso.

—Tu mamá está enferma ¿quién la cuida cuando te vas a trabajar?

Él tiene más de una hora de viaje desde acá hasta el centro de Río, sale a la mañana temprano y vuelve a la noche tarde.

—¿Te viniste a vivir aquí porque el nombre es tan lindo? a mí me gusta mucho ese nombre, Santísimo.

A él le gustó Santísimo porque tiene aire puro y mucha selva que crece sola, como en Cocotá.

—En mi ventana no había plantas de esas que crecen solas, todas plantas finas que daban flores.

En general ella se quedaba mirando desde la ventana de la pieza de ella, en el piso de arriba, era una casa linda, no así humilde como otras. El padre de ella era vendedor de ropa y zapatos en general, iba al campo y vendía todo. De San Pablo traía las cosas al pueblo y después a vender particular. Llegaba en el ómnibus con todo cargado, en bolsas. Una casa con jardín grande adelante y atrás el sembrado de las verduras. Y delante de la casa los dos árboles grandes de guayabas, pero la ventana de ella estaba al costado y él al llegar la esperaba recostado sobre el tronco del árbol de guayaba, el de la izquierda.

—¿Por qué te escondías detrás de ese árbol?

Él esperaba detrás de uno de los árboles, el de la izquierda, porque dicen que el huevo izquierdo es el que tiene más fuerza, y el árbol trasmite la fuerza, contagia al que también es macho. Cuando él se iba ella lo miraba por la ventana hasta que desaparecía, pero mientras la veía él le seguía haciendo adiós con la mano.

—Hasta ahora es todo verdad, estoy segura.

La madre de él vivía lejos en el campo, aquella última noche él llegó cuando ya empezó a aclarar, lejos, como dos horas de camino de tierra, había que pasar por esos caminos con pozos, barro, a veces el automóvil se atascaba, él lo empujaba, una confusión del carajo, había bueyes dormidos en el medio del camino, vacas y terneros, ramas de árbol atravesadas ¿verdad? por ahí él se quedaba dormido, se bajaba, empujaba el coche, hasta que divisaba a un tal Alcibíades, que le decían Cibides, un peón del padre. Ahora hace muchos años que no lo ve, "Algo te habrá pasado, para que llegues a esta hora". Él había dejado a la María da Gloria a las tres de la mañana, o tres y media, y estaba llegando cerca de las seis por culpa de ese camino tan largo, casi tres horas de marcha a pie, "Se te ve cara de haber tenido una mala noticia". Y él le contestó, "Cibides mi amigazo, mi amigo de siempre". Porque él lo llamaba siempre así, "Mi amigazo, mañana o dentro de un rato mismo, ya no me van a ver más por acá". Pero el otro no le creyó, Cibides era amigo del padre, muy amigo de la familia, por eso no creía en nada de lo que él decía. Él se fue esa mañana, sin ver a nadie, ni siquiera a la madre vio al salir de casa, para no andar regando tristeza.

—No es verdad, ¿acaso no te había dado cinco

cruzeiros y la habías abrazado?

La madre de él no estaba en la casa la mañana del lunes.

—¿Tu mamá se iba a trabajar a otra casa? ¿se iba más temprano que nadie para trabajar de sirvienta en otra casa?

Ella nunca trabajó fuera de su casa, hizo siempre los trabajos que son domésticos, pero en su casa. El padre de él ya estaba en el campo del arroz y tampoco lo vio, el padre tenía bueyes, terneros, caballos, chanchos, gallinas, gallinetas, perros. Todos los hijos habían nacido ahí en la chacra, y el Josemar también, que era el tercero, a pesar de todo. Antes el padre trabajaba mucho, ahora abandonó todo, los compromisos le cayeron encima al hijo y a la madre, el padre ya no se rompe más la cabeza, cambió ¿verdad? se largó a la bebida, perdió la fe en la vida. El Josemar era el hijo más lindo, y eso siempre le había dado rabia al padre. El Josemar se fue de la casa. Ya era la segunda vez que se tenía que ir.

—Ahora voy a preguntarte algo ¿por qué has vuelto a pensar tanto en mí? hacía años que apenas si te acordabas, o nada.

Eran once hermanos ¿verdad? aunque en aquella época todavía no eran once, pero ya eran muchos. Estaban la hermana, el hermano mayor, y él era el tercero ¿no? La cuestión es que a eso de las cuatro y media de la madrugada siempre lo despertaba el padre para juntar las vacas y ordeñarlas ¿verdad? las vacas estaban en el campo bajo la lluvia, tronando fuerte, y con relámpagos y todo, y siempre lo señalaba con el dedo para que saliera a la intemperie, con seis años nada más, "Ahí, Carminha, ¡vamos carajo! ya es hora de mandar a tu hijo a juntar las vacas". Y ella, "¿Cuál de todos?" Y el más chico tenía que ir, "Josemar, tiene que ir el Josemar a traerlas para adentro". Y él tenía que ir, aunque fuera menor que los otros dos, siempre lloviendo, les sacaba la leche, después traía a los terneros a que mamasen, llevaba las vacas adonde había pasto, y matorrales, para de paso ahorrarse el trabajo de cortarlos él, carpir la quinta y cuidar el naranjal, todo, cazar pajaritos, se volvía loco por los pajaritos y todavía en el día de hoy. Canarios, pechos colorados, cardenales, mirlos, él agarraba todo tipo de pájaro.

—¿Qué les hacías, una vez que los tenías agarrados en la mano?

Si el pajarito valía algo, si era de jaula y cantaba, él le tenía el mayor cariño. Si era un pajarito bobo, y feo, le arrancaba las plumas, lo dejaba pelado y lo soltaba. Ahí un día lo pescó el padre, ya muchas veces había visto pájaros pelados que andaban desnudos, "Carajo, no le hagas eso a un pobre animal, hay que dejar a los animalitos en paz". Y él, "No, usted no sabe lo que pasó, armé la trampa para agarrar este canario, y el otro llegó, picoteó al canario, es un pájaro malo del carajo". Él soltó al pájaro pelado, y se voló. Y basta.

—¿Ese pájaro no se iba a enfermar de la cabeza, como yo, o morirse?

No se mueren porque les arranquen las plumas, les vuelven a crecer. Y hasta pasaba que el mismo pájaro volvía y caía otra vez en la trampa, y él volvía a arrancarle las plumas. Él era así. Lo peor es que el padre tenía una máquina de sacar la cáscara al arroz, después de las vacas, del pasto y soltar los caballos en el campo, carpir la quinta que era lo que siempre le tocaba hacer cuando era chico, él se iba a mirar la máquina del arroz, y ayudar. La máquina no se podía tocar, él tenía seis años, barría todo, ahí estaban los tipos tirando al suelo la cáscara del arroz, y él se iba para ahí, siempre ahí, "¡Esa máquina no se toca! ¡no es para jugar!" Hasta que se incendió la máquina por ahí a medianoche. Se quemó toda. El padre pensó que era ya sabía quién que había prendido fuego a la máquina, "¡Yo estaba durmiento a esa hora, yo no fui a jugar con fuego!" Nunca se supo quién había sido. Nadie descubrió quién fue, ni los del seguro ¿verdad?

—No, nadie nunca te descubrió.

El padre tenía buen trato con los dos hijos mayores, la Fernanda y el Zé, y después del Josemar vino otra porretada de hijos. Pero con el tercero tenía una manía, diferente de los otros, la criatura no sabía por qué, el padre a veces también mandaba a los otros a trabajar, pero el que nunca se salvaba era el tercero, más que nadie. Es por eso que peleaban tanto: él, el padre y los hermanos. Peleaban como locos. Al tercer hijo le daba rabia porque podía mandar también a los otros a hacer el trabajo ¿verdad? Pero el padre creía que el tercero tenía que hacer todo. No se sabe por qué era, hasta hoy él todavía no lo descubrió.

—No te quería porque eras diferente de los

otros. Y yo sé por qué eras diferente.

El tercer hijo era más blanco, no tenía cara de indio como todos los demás, era más lindo todavía que los hijos del dueño del campo, que eran blancos como el Josemar.

—Yo sé bien por qué no te quería tu papá.

No era por nada en especial. Él nunca esperó nada del padre, francamente. Esperaba todo de la madre, porque la madre es lo siguiente: el hijo puede ser de lo peor, que ella siempre le va a dar apoyo, pero en ese caso el hijo era muy bueno, y un día estaba esperando que naciera una de las hermanas menores, la Fátima, después de él está la María Helena, después la Aparecida y el Nelson. Y el hijo adoptivo negro, el Zilmar, su amigo y hermano. Ahí entonces en esa época la madre estaba acostada esperando familia, y había hablado con una tía para mandarle un atado de ropa para lavar y él dijo que no lo llevaba porque la vaca brava andaba por esa zona y lo iba a correr, "No, vas a obedecer, la vaca no ataca a nadie".

—Te escucho.

Ahí él agarró el montón de ropa sucia y el hermano mayor, que era más avispado, abrió la boca, "Lo llevamos entre los dos, nosotros dos". Y el padre se dio vuelta y lo miró al tercer hijo y le dijo que quería esa ropa de vuelta pasado mañana sin falta, lavada. Ahí, carajo, el hermano mayor lo miró, "Hay que hacer lo siguiente, Josemar, te toca llevar la ropa hasta tal lugar, que para cuando llegues yo ya te voy a estar esperando". Era un vivillo, un hijo de su puta madre, donde había visto a la vaca fue ahí que lo mandó a esperar. Y ahí fue, carajo, que el tercer hijo se largó al camino. Tenía que ir hasta el lugar aquel. Está bien. Ahí se fue, con aquel paquetón grandote, pesado, lo fue llevando, arrastrando de cualquier modo que le era posible.

—El que es incapaz de querer al padre es incapaz de querer a nadie ¿verdad?

Ni bien él llegó al lugar la vaca fue y lo atacó, lo corneó por todas partes. Él tiene hasta hoy en día las marcas en la barriga, bien abajo, y el pecho y atrás en las costillas.

—¿Dónde están las cicatrices? quiero que me las muestres, quiero verlas, si es que están del ombligo para arriba.

¡Él ha sufrido mucho en la vida! cayó rodando con la vaca, se le abrazó. Hasta que cayó en una cuneta, una cuneta de ortiga. Ahí quedó todo tapado de ortiga y ella lo seguía pisando, pateándolo, y mordiéndolo, y él quieto tapándose la cabeza con las manos, en fin, qué se le va a hacer. De lejos el padre vio que la vaca estaba atacando a alguien, ahí fue corriendo a ver, era a la criatura que la estaba atacando. Entonces fue que la espantó.

—Tu papá era muy bueno ¿te das cuenta?

Y al hijo se le ocurrió una idea, a él solito, se sanó de aquellas corneadas de la vaca, todo en orden, en un mes más o menos, ni siquiera lo llevaron al médico, y a él le fue creciendo aquel odio, y los nervios ¿verdad? Ahí fue que se le ocurrió matar a la vaca. Él se lo dijo a él mismo, "Voy a matar a esa vaca". Que no quería a la gente, daba leche, mucha leche, pero atacaba. Era el padre quien la ordeñaba, al padre no le hacía nada.

—Quiero que antes me digas si la abrazaste o no a tu mamá antes de irte. Tengo miedo de que se te haya olvidado para siempre la verdad, como me pasó a mí una vez.

Era al padre que la vaca no le hacía nada. El tercer hijo hablaba solo a veces, como los locos, y dijo por ahí caminando solo, "Está bien, no ha pasado nada". Y ahí pasó tiempo, pasó tiempo, pasaron más o menos tres o cuatro meses, él se curó ¿y qué fue lo que hizo? se subió al ropero, agarró el revólver y salió, al encuentro de la vaca, y cuando se le venía a cornearlo, él le apuntó justo en el medio de la frente entre los dos cuernos, le dio al revólver y ¡pa! le mandó dos tiros en la frente, mató a la vaca. Ahí se desató toda la furia del jefe de la casa ¿verdad? le dio todos los golpes habidos y por haber, pero la vaca por fin estaba muerta. De veras fue así, y ahí el padre empezó a mirarlo peor que antes todavía, de sólo ver al hijo ya se enervaba todo. La vida pasó a ser una guerra continua entre ellos dos. Cuando fue viendo que el chico estaba haciéndose más fuerte, ya pronto un hombre, lo miró un día fijo, "Hijo mío, el asunto es el siguiente: te estás haciendo ya hombre, si es tu gusto buscarte tu propio camino, nadie te lo impide". El padre quería decir que lo estaba echando ¿verdad? "Está bien, viejo, yo no tengo nada que decir, quien decide eso es mi madre". Y ella, "Nadie se va de acá, mi hijo es tan hijo mío como de él, y se va a quedar acá como los demás hijos". El tercer hijo era el único que defendía a la madre y la madre lo defendía a él.

—La madre tenía la culpa de todo, ¿no es cierto?

El viejo vendió la vaca muerta al carnicero, según parece, una vez muerta la vaca la agarró, la abrió y la vendió para que el carnicero después la vendiese a la gente. Hasta trajo carne de la vaca para comer y el tercero no quiso, de odio que le tenía, porque ese animal casi lo había matado ¿verdad?

—La vaca te odiaba porque eras malo con ella.

A ella no le gustaban las criaturas, con todos los más chicos era igual, la misma cosa. Tanto con uno como con los otros. Al tercero le tenía una bronca especial porque él le daba unas palizas tremendas, cuando la encontraba amarrada. Él le tenía rabia de antes de la corneada. El viejo la ataba para ordeñarla y mientras iba a buscar el balde el tercero se la montaba y le metía lo suyo, se lo incrustaba para lastimarla ¡puta de mierda! Zelinha se llamaba esa vaca ¡vaca puta! maldita sea, más que peligrosa ¡cómo corneaba! si alguien se descuidaba ella le volteaba una pared fuerte como éstas con uno de esos cabezazos. Era canalla la puta, fuera de serie, y viva como ella sola. El hecho es que el gran problema entre el padre y la madre era que el padre tenía otra mujer. Entonces era eso lo que los mantenía en pie de guerra. Una mujer que vivía ahí en el campo, pero no muy cerca, más joven que las otras mujeres que el padre tenía en el pueblo. Estuvo siempre lleno de mujeres, el padre ¿está claro? ésta era soltera, y el tercer hijo trataba de ayudar, de colocar las cosas en su lugar. La madre no descubría lo que pasaba, pero desconfiaba. El hijo iba contra el padre y a favor de la madre, le decía siempre lo mismo a la madre, pero no al padre, "Mamá, no le haga caso". Y ese tipo de cosas, "No hay que hacerse mala sangre". Él era uno de los pocos hijos inteligentes, le gustaba que todo estuviera bien, sin lío, sin guerra, sin la menor pelea dentro de casa.

—Pero decían que...

Pero nada. Él no tiene para comprarse otro paquete de cigarrillos, y ya le quedan tres apenas, para toda la noche. Y va a encender otro más. Él tenía unos once años cuando descubrió todo. Vio todo, volvió a casa y le contó todo a la madre. Él ya se lo había imaginado, pero no lo sabía con seguridad. Ahí acabó de confirmarlo, se acercó a la madre donde no los oyera nadie, "El asunto es el siguiente: él tiene otra mujer, es por eso que se queda sin dinero para usted ¿se da cuenta? ¿está claro, ahora? porque él anda dándole dinero a la otra mujer, y ese tipo de cosa ¿me entiende lo que estoy hablando? el asunto es un verdadero escándalo". El tercer hijo estuvo siempre lleno de problemas, esas cosas lo dejaban todo jodido.

—Hay gente que no quiere a nadie, tu corazón adentro está seco.

Hasta cierta época el padre no tenía el corazón seco, había sido buenísimo con la madre. Después cambió, aquella persona que él había sido antes ¿está claro? "Pero ahora tiene el corazón seco", decía la madre, cambió por completo. Pero eso fue muchos años después, el tercer hijo no quiere decir más que la verdad, él siempre trató de defenderla, de alguna forma o de otra ¿se entiende? y el día de la vaca el padre peleó con la madre porque le quiso pegar al tercer hijo y ella no lo dejó. Entonces el padre le quiso pegar a ella. Ella se le escapó y se metió en casa de una vecina. Se llamaba Doña Olinda, y la vecina dijo, "Ay Dios mío ¿qué es esto?" Y cosas así, y consejos, "Señora, vuelva a su casa". Y qué sé cuánto, "Yo los voy a acompañar hasta allá, no les va a hacer nada". Entonces la Doña Olinda los llevó hasta la casa ¿verdad? y entraron, todo ese asunto, sin problemas. Ahí al llegar, él recibió ya a todo el mundo bien y demás, pero era bien falso ¿verdad? era ese tipo de persona falsa, traicionera. Y ni bien la otra se fue él agarró una cuchilla y quería matar a la madre de los hijos.

—¿Por haberte defendido, nada más que por eso? Por ahí decían que tu mamá era la mala, y que salías a ella.

Ahí la madre pegó un salto ¡ay de ella si no corría! todas las criaturas se morían de miedo, toda la cría, "¡Yo te mato! ¡te mato!" Por suerte no muy lejos había un árbol de mandarinas, corrieron hasta ahí y se escondieron, había muchos árboles para esconderse, pero debajo de las mandarinas nunca hay cobras, no les gusta el olor a mandarinas. Entonces él y la madre durmieron ahí aquella noche. Pero el árbol mejor de la chacra era otro, y estaba cerca de la casa, demasiado cerca. A él le gustaba ese otro árbol más que ninguno, también echaba perfume y hasta daba agua, estaba al borde del canal y saltaba un chorro de las raíces, él se apoyaba en dos ramas y se abrazaba bien, no se caía, las ramas lo sostenían cuando él se tiraba todo para abajo, y tomaba el agua. Le dijo a la madre que el árbol de las mandarinas no daba agua, si le venía sed a la noche, pero el árbol del agua estaba demasiado cerca de la casa. "Y puede venir una cobra", le dijo la madre. "Sí señora", le contestó él. No volvieron a la casa, durmieron en el campo, "Hijito, mañana nos vamos de acá para casa del abuelo". Muy lejos ¿no? una distancia fuera de serie. Más de tres horas andando a pie, o a caballo, hasta la casa del padre de la madre, ahora ya fallecido. No se podía ir más que a pie, o a caballo, "Cuando amanezca vamos para allá, le contamos al abuelo los problemas que hay y nos quedamos allá hasta que todo se arregle". Pero antes de aclarar ella quiso entrar a la casa a sacar un poco de ropa para abrigarse, madre e hijo. Ahí el marido la vio y se le vino encima y empezó a darle con la mano abierta pero muy fuerte y cuando el hijo lo vio se le trepó encima y le empezó a dar puñetazos de atrás, y sin querer le pegó a la madre también, una confusión del mismo carajo, hasta que apareció Cibides y separó la pelea, la madre y él por fin se fueron, de eso él se acuerda. De otros detalles se acordará ella sola. Pasaron ocho días, con el abuelo. Hasta que se apareció por allá el padre a buscarlos y habló para que se volviera, que ya estaba todo en orden, que la madre estaba haciendo falta en la casa, por todo el resto de la cría, por él no era necesario, y fue ahí que se volvieron, "Yo siempre la voy a defender, señora, se lo prometo". Y hasta hoy él siempre la defiende. En todo. Sea lo que sea. Es un gasto familiar, como comprar la sal, porque todo lo demás lo tenían en la chacra, desde el arroz hasta la carne.

—¿Por qué le decías señora a tu mamá? ¿no la querías tampoco a ella?

Siempre señor y señora, desde chico él dijo a todos señor y señora. Y todavía ahora. En aquella época era así, ya no más, ahora todo es diferente, se tutea a todo el mundo, y se dicen palabrotas. Pero el padre tenía manía con el tercer hijo, y una tía pasó y la oyó a su hermana Carminha quejándose, "El Astolfo tiene una manía terrible con el Josemarzinho y estoy obligada a pegarle al muchachito a cada rato, y no hay caso, eso me da mucha rabia, y ya tiene doce años y un día se van a matar con el padre". Y la tía le dijo que se lo llevaba para dar un paseo por Río, cerca de Río, el pueblo ese de Coelho da Rocha, Estado de Río. Y se lo llevó. Cuando él estaba llegando apenas, que empezó a ver Río, él miraba, eran muchos montones de lámparas encendidas y eso, completamente diferente de Cocotá. Una lámpara de un color, otra de otro ¡que él nunca había visto! Rojas, azules, una serie de lámparas. Y ahí se quedó mirando, "Voy a tener que hacer ese tipo de trabajo, nada de otro ¡ese mismito!" Siempre le había gustado la electricidad, entonces empezó a mirar las lámparas y esas cosas. Así fue que llegaron de noche, a las cuatro de la madrugada, iba viendo todo ¿no? siempre sin dormir, que era para ver todo sin falta. Normalmente hasta hoy él viaja un día entero en ómnibus, toda una noche, y no duerme por nada del mundo, para ver las cosas nuevas que van surgiendo ¿no? La tía se lo trajo para acá, y él se fue quedando. Aunque lo que quería era irse de vuelta, aunque fuera caminando. Quería volverse, pero la tía no le daba calce, ni le daba moneda ni lo dejaba salir ¿está claro? Ahí él pasaba hasta hambre en casa de la tía. Ella era gente de la Biblia, y hasta hoy en día la comida está racionada en la casa de ellos. Era creyente, de la Asamblea de Dios. Entonces la comida estaba racionadísima y él tenía hambre. Estaba acostumbrado al campo, a comer bastante ¿no? Ahí venía ese platito de comida bien chico, ahí él le dijo, "¡Tía! ...no, nada..." Porque él nunca fue de quejarse ¿verdad? estaba todo bien así, después salía y se compraba un pan casero de aquellos grandotes redondos, se lo comía y a otra cosa. Es por eso que hoy en día él no puede comer pan. La tia lo veia y le decia que tenia que comer la comida, no tanto pan, y él le decía que sí, que tenía razón, "Sí, tía mía, está bien". Y pasó cinco años con ella, contando cada hora que pasaba, porque era una menos que faltaba para volver a abrazar tan fuerte a Doña Carminha. Pero él juró que no iba a volver si no era en su propio automóvil. Y empezó a trabajar de albañil, de ayudante de albañil, porque de electricidad no sabía nada. Y ya tenía dieciséis años cuando no aguantó más sin volver.

—Ella sí había aguantado sin verte, ya ni se acordaba del tercer hijo.

Ella vio mucha tierra levantarse por el camino que pasa por la chacra, estaban sembrando algo con la hija mayor, sembrando lechuga, "¿Qué es eso, hijita? ¿es una tormenta?", "No, señora, es un coche que se acerca, un Maverick", "¿Quién viene, hijita?", "No sé, señora, de lejos no veo la cara, pero tiene ropa nueva, y ya me está llegando el perfume de él, muy bueno, mejor todavía que el de la planta que da agua", "Hijita, él se va a reír de nosotros porque somos pobres ¿no te parece?", "No sé señora, ese joven tal vez esté pasando a mucha velocidad, y parar por acá, no va a parar".

Capítulo III

Él se miró en el vidrio del bar, el pelo largo hasta la espalda, barba, un tipo de avanzada, bien a la moda, todo emperifollado, andando por donde se le daba la gana. Llegó de lejos, a Cocotá, después de un viaje muy largo. Y ese mismo día la vio por primera vez. A eso de las once y cuarto de la mañana la vio pasar, la hora la tenía bien marcada en su reloj pulsera, de color dorado, y malla metálica también, pero plateada nada más. Ella le miró el reloj, pocos lo tenían en el pueblo.

—¡Vamos, fuera de esa cama! es hora de ir a trabajar. Y hay casi dos horas de viaje hasta el centro de Río.

Él en seguida se metió con ella, le mandó un chiflido ¡Psht! Ella miró, y esas cosas, él silbó otra vez, pero ella muy jovencita se asustó, salió así caminando rápido. Y desapareció. Se fue para la casa y eso. En esa época la ilusión de él era tener un automóvil, por ahí entonces se había comprado un Gordini, era un coche de la época, aquellos coches bajitos, digamos. Compró un Gordini en aquella época, por poca plata. Así se apareció por allá, con aquel coche ¿no? después de años fuera de casa, barbudo, melenudo, el pelo bien largo. La madre no lo reconoció. Él llegó, golpeó las manos en el portón de la casa, en la chacra de la madre, entonces ella dijo, "El asunto es el siguiente: yo tengo un hijo que se llama así, Josemar, pero a usted no lo conozco". Ella fue entonces a buscar a las hijas. Vinieron y él se quedó hablando después solo con la madre una hora y media, más o menos para ver si ella lo reconocía, pero no lo reconoció. No lo veía desde que él se fue con una tía, para empezar su vida de lucha y demás. Pero ahí él llegó ¿no? y ella no lo reconocía para nada. Ahí le mostró una foto, "Señora ¿usted no se acuerda de esta foto? yo tenía menos de diez años por entonces", "¡Ah, ahora me acuerdo! usted es mi hijo". Y él le dijo, "¡Vio qué cosa, vieja! vio qué cosa ¿no? increíble, vieja de tal por cual, pero la perdono", le dijo él y la madre lo abrazó, lo besó, se le colgó del cuello.

—¡Basta! ¡a levantarse y trabajar! ¡qué tanto mamá y mamá! ni que fueras un recién nacido.

Pero para entonces él ya había visto a la muchachita, la María da Gloria, por la calle, fue cuando él se metió con ella, y se le acercó al peluquero que le cortaba el pelo, a diario le hacía masajes y todo lo que hay que hacerse, es el punto de llegada cada vez que él vuelve al pueblo, la peluquería esa, entonces él llegó, ella pasó y él preguntó, "¿Quién es esa preciosura?" Y el peluquero, "Es la María da Gloria Rossi, hija del Pino", todo ese asunto ¿verdad? Era una criatura pero ya estaba formada, iba a cumplir doce años, una muchacha ya bien fuerte, lindona, ya con los pechitos bien grandes. El pelo rubio bien largo, la carne blanca, los cachetes bien colorados de la sangre que ya estaba empezando a calentarse, y un día le iba a hervir ¿y volcarse toda? Y él le dijo, "M'hijita, no te vayas, tengo que hablarte de algo". Ella se quedó riendo, así medio perdida, y él insistiendo ¿no? entonces fue que ella se apartó, con tres o cuatro amigas. "¡Me cago en la vida! ¿qué puedo hacer ahora?", le preguntó al peluquero, "¿qué voy a hacer, para verla otra vez?", "Basta con que te aparezcas por la plaza más o menos a las siete y media, ocho de la noche, que generalmente ella anda rondando por la plaza, puede ser que de entrada ya le gustaste, y entonces se te puede abrir como un paracaídas". Fue lo que el peluquero le dijo, "Ahí te la vas a encontrar". Ahí entonces, está bien. Y él se fue para la chacra. "Ahora estás hecho un melenudo, un playboy fuera de serie, te vas a voltear a todas las muchachas", le dijo el peluquero, a esa hora de la tarde ya se había afeitado bien, peinado, y se parecía un poco más a la fotografía ¿verdad? Y por ahí a las seis y media, fue la primera hembra que vio en la plaza. Estaba rondando, así solita, se sentó en un banco, él rumbeó para ese lado ¿no? Y él fue insistiendo, aunque generalmente ni bien él se dirigía para el lado de ella, ella se corría, se le iba, con miedo de que los padres la vieran, todo ese asunto. Él se dijo a sí mismo, "Entonces lo que hay que hacer es lo siguiente: darle tiempo para que me mande un mensaje". Y le dio tiempo. Se fue a un bar, tomó una cerveza ¿está claro? tranquilo, mientras aparecieron unas amigas, ahí ella escribió un papelito y se lo mandó, que le gustaría hablar con él, pero le daba miedo por los padres de ella ¿verdad? Quería hablar con él, cambiar unas palabras, pero los padres le podían dar una paliza. Le mandó entregar el mensaje. Él lo leyó, lo que hay que hacer en esos casos. Pero ya el día pasó y todo en orden. Ahí él no aguantó, "¡Hay que hacerla hablar, carajo! ¿va al colegio?", le preguntó al peluquero. Que le contestó, "Ella siempre pasa por aquí a eso de las once y media, a esa hora". Y ahí al otro día, a las once y media, ella estaba pasando. Ahí él se lo dijo, a él mismo, habló solo como los locos, "La voy a rondar, hasta poder hablar con ella como es debido, quiero oírle la voz". Ahí ella le habló así, "¡Hola!", le dijo al aparecérsele ¿no? y él ¡zápate! se le fue encima, la acorraló, "M'hijita, el asunto es el siguiente: recibí tu mensaje, y creo que los padres de uno no pueden impedir que las personas se gusten. Mi padre principalmente no me lo va a impedir, y creo que tampoco el tuyo. Si así fuera, si hay problema, yo me voy a dirigir a él, le voy a decir que me estás gustando, qué tanto joder, lo que quiero es hablar nosotros dos, y no va a haber problema, todo en orden". Ella dijo palabras textuales, "¿Tendrías tanto coraje?" Él entonces dijo, "Sí que tengo coraje ¿cuál es tu viejo? lo voy a buscar". Y ella, "¡No, no hagas eso, por amor de Dios!" Y vino el día jueves, ahí entonces había siempre música en el parque de más lejos, entonces él allá en el parque él se acuerda que ella tenía ese día un vestido abajo blanco y arriba rosa, la blusa. Ahí fue la cosa, él estaba chacoteando con otros tipos, jodiendo un poco. Entonces fue que le dedicaron una música de Roberto Carlos, por el altoparlante habló el tipo, "Una joven de rosa y blanco dedica esta canción a muchacho de pelo castaño, ojos castaños, piel blanca, ropa toda blanca, zapatos negros y reloj pulsera". En el parque, el parque de diversiones para menores, con hamacas, toboganes y todo eso. Y así empezaron. Fueron noviando, noviando, y esas cosas, a escondidas ¿no? a la salida del colegio.

—Había una plaza principal, y otra más oscura.

Una es un cuadrado, con muchas plantas, y la fuente con chorros de agua para arriba, mucha luz fluorescente de abajo, que antes no existía cuando él era chico, una plaza fuera de serie. Ésa es la principal, la segunda plaza es la que está justamente frente al gimnasio donde ella tenía que ir a cumplir las clases de ejercicios físicos, la calle alrededor empedrada, rosas, muchas fuentes, lago muy bonito, muchas plantas en aquella plaza más oscura ¿no es verdad? Del otro lado pasa un río que es el río Cocotá, río grande por donde lo busquen, muy lindo, lleno de árboles y cosas parecidas, y el gimnasio es un gimnasio todo lindo, bien instalado, todo moderno ¿verdad? en aquella época era muy moderno, y ahora no tanto. Entonces él vivía ¿cómo se dice? dándole la caza. Está bien. Ella vivía a unos dos kilómetros del gimnasio, tenían que pasar por el cine, por los dos clubes, las calles principales del pueblo, llenas de casas, farmacias, mercados, casas de comercio, muchas, ella iba recorriendo todo, sin problemas, y él siempre siguiéndola ¿verdad?

—¿Caminabas detrás mío o al lado mío?

A veces detrás y a veces al lado. Antes era detrás, y después pasó a ser al lado de ella, cuando ya estaba más allegada a la persona de él, "El problema es el siguiente: no camines tan rápido, que tengo ganas de mirarte". Y empezaron a verse cuando a ella le tocaba ir a aquel asunto del gimnasio, ya de noche oscuro, escondidos, en aquel rincón bien oscuro de la calle. Salía de la casa directa a verlo. Iba llegando loca de entusiasmo. Aunque no tuviera la clase de ejercicios físicos.

—En el espejo te ves mal, cansado, no dormiste bien ¿por qué te despertabas a cada momento?

Anoche él durmió mal. Dormía, se despertaba, se volvía a dormir, otra vez se despertaba, pensaba, eso que pasa a veces ¿verdad? en terminar esas mierdas de obras en construcción ya empezadas, y quedarse un poco más tranquilo ¿no? tener más tiempo para otras cosas, ese tipo de cosas: le dio un presupuesto a una mujer para un baño nuevo en un departamento viejo, y al tirar una pared apareció un caño que él no sabía que estaba ahí, se quebró el caño y ahora el presupuesto aumentó pero la dueña no quiere pagar. Y en el otro edificio fue peor todavía, donde agrandaron una ventana, él y el asistente, pero no tenían permiso de los dueños del departamento, el administrador del edificio se quejó y le dijo, "¿Cómo alguien que ya tiene tiempo trabajando en esto, no se acordó de pedir el permiso correspondiente?" Y cuando dio el presupuesto los materiales costaban una cosa y ahora cuestan otra, puta inflación, termina él poniendo de su bolsillo. Y la madre está enferma, si no se cura hay que ver otro médico, y si no se cura hay que hacer el otro tratamiento más caro y lo único que ella tiene para vender es esta casa. Él durmió mal toda la noche y ahora tiene que ir a trabajar.

—Si no tuvieras que ir a trabajar podrías quedarte acostado y tratar de descansar.

Si se duerme él se volvería a despertar, por las preocupaciones.

—Pero convendría que descansaras por lo menos una hora más, en paz.

Aquella mujer del departamento viejo está esperando, con el baño inundado y un caño roto.

—Podrías decirle que el ómnibus se quedó parado una hora en el camino.

Él se despierta a la noche y piensa que para terminar las putas obras va a tener que poner de su bolsillo.

—No pienses en la última vez que nos vimos, porque eso también te hace mal ¿verdad?

Ella a los padres les decía que iba a casa de unas primas, que estaba llena de parientes por allá ¿verdad? ese tipo de cosas. Y cuando llegó, un día, él le habló, "Yo no aguanto más así, si estás dispuesta a colocar las cartas sobre la mesa y que todo sea visible, nada a escondidas de tu papá y tu mamá, no te hagas problemas, que me les voy a acercar a hablar". Entonces ella un día, a la madre le mostró cuál era él. Pasó agarrada del brazo de la madre y se lo mostró, "Es aquel muchacho que está allá". Entonces la madre de ella le dio un codazo y él se dio cuenta y la vieja se le sonrió, él se dijo a él mismo, como los locos, "¡Carajo! ya que la madre me miró y se sonrió, está todo en orden ¿no?" Si a la tipa no le hubiese caído bien habría puesto mala cara ¿verdad? Ahí fue que pasó con la madre pero no se dieron vuelta. Se fueron. Desaparecieron, las perdió de vista. Pero él se quedó de centinela ahí ¿está claro? porque tenían que pasar otra vez de vuelta a la casa, entonces ahí mismo, cuando se fueron acercando las diez de la noche, ya estaba bien solitario el pueblo, por ahí se aparecen otra vez las dos. Él se dijo, "Qué joder, yo voy y me acerco".

—¿Dónde habíamos ido con mi mamá?

Habían ido a visitar a uno de los tíos de ella que estaba enfermo en otra calle que él ni conocía ¿verdad? En aquella época él nunca pasaba por esa calle, de casas mejores. Ella venía con la madre, él esperando ¿no? el automóvil parado, él al lado, la radio del Maverick encendida, él se dijo, "¡Ey, yo me les acerco!" Ahí pensando, con nada más que eso en la cabeza, "Me le voy a acercar, le voy a hablar, con madre y todo, no me voy a exprimir más el cerebro, si se enojan mala suerte, y si no se enojan perfecto". Ahí cuando pasó bien delante ella se encogió toda colgadita del brazo de la madre con miedo de que él se le acercara ¿no? y él se le acercó, "Buenas noches, señora, ¿cómo está?" Habló, con la madre misma, y le estrechó la mano. Y se animó a hacerse la presentación él solo, "Josemar, para servir a usted". Ya hacía cerca de un mes y medio, por ahí, que se estaban viendo, pero él realmente gustaba de la hija, y quería dejar bien claro que él ya había andado hablando con ella y no quería nada turbio en absoluto, "Señora, su hija es muy joven todavía pero mire como ya usa el cabello largo como una señorita, ella ya está crecida, y tiene el cabello tan lindo como la madre, ahora me doy cuenta. Yo también soy un muchacho joven, pero soy muy inteligente, después en lo futuro la señora puede ser mi suegra y yo su yerno, todo en orden". Él ahí diciéndole eso a la madre, y la madre toda creída.

—¿Te gustó mi mamá?

A él le gustó mucho, se quedó loco con ella. La madre le dijo, "Está bien, no se haga problemas, lo estoy escuchando, me estoy enterando, pero en lo que a mi marido concierne yo nunca vi nada". Y la hija la miraba, "Pero el día que los llegue a ver juntos a ésta le voy a dar unos cuantos latigazos". Dijo que le iba a pegar, con el látigo. Un chiste nada más, porque la madre de ella era bien buena, "No, el problema es el siguiente: yo sé que por mí no hay problema. El problema es el padre. Entonces ustedes pueden salir, encontrarse por ahí, a escondidas del padre. Es lo único que puedo hacer por mi linda hijita, a quien quiero tanto", le dijo la madre a él. "Entonces es lo siguiente", dijo él, "ya que usted señora lo permite ¿será que puedo acercarme a su esposo, que es el padre de ella en este caso, para hablar con él?" Ella contestó que no, que le parecía que no, "Porque él es medio cascarrabias, puede decir que no, y hasta cometer alguna brutalidad con usted, hijo". Pasaron unos días y no la vio a la María da Gloria, hasta que en la puerta del gimnasio ella se apareció y se había cortado el pelo, "Mi mamá me lo hizo cortar como las otras de mi misma edad". Y a esa altura de las cosas surgió el asunto del fútbol que al domingo siguiente había un partido importante. Entonces él se inscribió en el equipo para disputar el campeonato y el viejo era uno de los técnicos del equipo, el padre de ella ¿verdad? Daba la vida, si era preciso, por su equipo. Ahí, qué tanto joder, colocaron un cartel, "Hoy debuta Josemar Ferreira", en el equipo de fútbol del Club de Deportes Cocotá. El público no lo conocía, en aquella época, había pasado la infancia ahí pero se había ido hacía muchos años. Se entrenó el miércoles y el jueves y el domingo iba a ser lanzado en la primera división del equipo.

—Eso no es cierto. En el equipo del pueblo no dejaban entrar a los de las chacras.

La opinión de ellos fue que él era un excelente atleta. Les pareció que él era uno de los mejores atletas que habían pasado por ese pueblo, por ese equipo. Ahí les dijo que se había pasado la vida jugando en un equipo y el otro. Ahí el padre de ella, el mismo padre, le dijo lo siguiente, que todavía para entonces no sabía nada, pero ahí se le dirigió a él y le dijo, "Usted juegue bien abierto, punta izquierda bien al borde del campo, porque a mí me gusta el puntero así, usted tiene las características que a mí me gustan en el fútbol". Pero el viejo no sabía que a la hija le estaba gustando alguien, no lo sabía por entonces. Ahí al jugar en el equipo la gente que lo había visto siguiéndola al gimnasio y a la casa y hablando con ella por ahí por esos lugares, la gente cuando él agarraba la pelota la gente gritaba, "Ése es el yerno del viejo Rossi, el entrenador del equipo". Qué joder, ahí el tipo quedó con la sangre en el ojo, "¡Carajo, será posible que ese tipo esté rondando a mi hija! yo no sé nada". Y esto y lo otro. Ahí después que terminó el partido ese día él hizo tres goles, en ese día, fue el crack del equipo mismo ¿verdad? Entonces carajo, ése es el yerno del viejo Rossi, decía toda la mocosada, para joder. Entonces el viejo se fue a enterar, ahí cuando se hizo de noche, después del fútbol y eso, muchos abrazos, y todo el público, la gente toda ahí en el bar se le acercó al mejor jugador, "No sé si viste que la gente me estaba haciendo burla, diciendo que eras mi yerno, y qué sé yo cuánto". El viejo no sabía que el crack ya estaba hablando con la hija hacía tiempo. Ahí fue la oportunidad para decirle, realmente de frente, "Ah... pero su hija ¿cómo es? ¿será por acaso una rubiecita con unos aros de oro como esos de los recién nacidos, bien chiquitos?" El viejo dijo, "Es una rubiecita, que antes tenía el pelo largo, y ahora se lo cortaron". Y él le contestó, "Mire señor, voy a ser franco con usted: yo estoy, yo estoy realmente enamorado de su hija, la quiero con toda el alma, es una excelente muchacha". Se lo dijo al padre, así mismo. Y el padre, "¡Ah, muchas gracias!" y cosas así, le estrechó bien fuerte la mano, ese tipo de cosas, y él no se animó, pero quería darle un abrazo de aquellos de verdad, y un beso muy fuerte en la frente, abrazarlo fuerte al viejo hasta que le crujieran un poco las costillas, aunque el viejo era más fuerte que la mierda, italiano del carajo pero él le dio la mano y el viejo no lo despreció. Todo en orden entonces, "Ya ahora te quedarás en el equipo, y además, ahora tal vez te quedes en el pueblo, si no me equivoco ¿verdad?" Y él dijo, "Hasta me podría quedar, depende de las condiciones", le dijo, "porque me gusta su hija, y usted es uno de los dirigentes del Club", "Quiere decir que no falta nada ¿verdad?", dijo el padre, y él, "¡Ah, perfecto! yo no vine a este pueblo a ganar dinero, quiero jugar al fútbol porque mi padre vive acá, usted es amigo de mi padre, de veras que sí, siempre fue amigo de mi padre ¿no?" Porque el padre de él es el Astolfo, el que trabaja en la chacra, casado con Doña Carminha ¡porque que no vaya a creer lo que dicen! porque él es más blanco dicen que no es hijo del padre verdadero.

—No le hables de eso a mi papá, la gente mayor que nosotros sabe más cosas.

El crack va a hablar de lo que quiera, que ese viejo del carajo no le venga con mierdas que lo va a deshacer a golpes.

—No te enojes así ¿sabías una cosa? yo nunca había visto un muchacho joven tan lindo, y con el pelo tan largo.

Él llegó de Río en el año sesenta y nueve, y en el puto pueblo ninguno se había dejado crecer el pelo todavía.

—El estanciero, el dueño del campo, era el hombre más lindo que yo había visto en mi vida, un hombre sin canas, no usaba el pelo largo, tenía un sombrero blanco de ala ancha.

Pero después ella lo vio a él, en la plaza, él se convirtió en el crack del equipo, el mejor jugador del Club. A ella le empezó a gustar el más joven.

—Sí. Porque el joven se parecía mucho al dueño del campo.

A ella le empezó a gustar el más joven, y ahí basta. Después de aquella tarde, después del partido de fútbol, que todos estaban contentos de la vida, él y el padre de ella, una vez fueron todos juntos a la chacra de unos amigos de los padres de ella, iban todos. Todos a pie por el camino, a la fiesta, a tomar algo, una buena cerveza, pasando por aquellas chacras todas sembradas, aquellos matorrales, él, ella, la madre de ella, toda la familia, el padre, los hermanos, todo el mundo. Era la gran unión familiar ¿verdad? una unión fuera de serie. Es lo que él se acuerda. Eso fue al principio.

—Una vez quisiste venir con mi familia al campo, pero ellos no quisieron.

Él le pidió que ella se dejara crecer otra vez el pelo. De noche por el campo a la fiesta, nada de traje y corbata, en el campo todos de bermuda, o pantaloncito corto, y poca cosa más. Pero era de noche.

—¿Y qué podía pasar?

A él le gustaban mucho, lo volvían loco esas fiestas, pero de noche se ve poco y después la gente se olvida más fácil, porque no vio todo bien claro. Es más difícil de acordarse. Por eso él la llevó al campo una mañana, los dos solos, en la casa ella dijo que iba al colegio.

—Me da miedo el campo, puede haber cobras, mi papá oye si se acerca una.

Él la convenció de que fueran solos, a buscar pajaritos. La quieren los pajaritos, porque ella los trata muy bien ¿verdad? a los de la jaula les coloca mucha comida, entonces cuando los suelta, después de dos semanas, todo en orden, le vuelven a la jaula. Un pajarito sabe cuando lo tratan bien. Y a las plantas también las cuidaba mucho, las regaba, a la mañana temprano y antes de ponerse el sol, porque el sol las había calentado demasiado, y sin agua se iban a secar. Y a ella también le gustaban los caballos, aunque corcovearan, los quería, se los jineteaba, por ahí se daba un buen golpe, y se raspaba un poco la cara. Pero los animales la querían.

—¿Ningún animal era malo conmigo?

Las vacas, no quieren ni a las mujeres ni a los chicos. Ni bien una vaca ve a una mujer la quiere voltear, y después patear. A ella tampoco le gustaban las vacas bravas, veía una vaca y se mandaba a mudar, corría espantada.

—¿Y los animales machos? ¿ninguno era malo conmigo?

Que él se acuerde ninguno. El único animal macho, ahí, era él. Y sí que era malo con ella.

—¿Por qué?

Él se la quería montar, sin lástima. Y la hembra después aunque se arrepienta ya es tarde, le tomó el gusto y está perdida, se queda esperando que el macho vuelva y se la monte otra vez.

—No, no eras malo conmigo, eso no es cierto.

¡Sí que él era malo! ¡carajo! y una vez que a ella le hizo tomar bien el gusto, después la dejaba esperando, porque sabía que ella no tenía más remedio que quedarse ahí esperando, a que él viniese y se la montase, a la hora que él quería. Después de él estar con las otras hembras de él. Él estuvo siempre lleno de hembras ¿está claro? solteras, casadas, lo que quería. Entre ellas no descubrían lo que pasaba, pero desconfiaban, y él castigaba con aquello, a más no poder, hasta hacerlas saltar de gusto y de dolor.

—Yo no me acuerdo de ese gusto, ni de ese dolor. Pero me acuerdo de que cuando el dueño del campo pasaba por mi casa se sacaba el sombrero para saludar, y entonces yo me quedaba pensando en que eras más lindo todavía que él. Y yo te quería regalar un sombrero para que te lo sacaras al pasar por mi casa, para saludar a toda la familia.

Llevaron un cubrecama, llevaron de todo, almohada, al campo. Para pasar todo el día entre los matorrales ¿verdad? iba a ser algo fuera de serie, nadie los podía ver. Por ahí estaban bien alejados, casi nadie pasaba por ahí. Se entraba ahí entre las matas y nadie los veía más, desaparecían para siempre. Es mucha mata la que hay. Él hasta pasó por ese lugar ahora, la última vez que fue a Cocotá. Ya hacía mucho que estaban de novios, hacía más o menos un año que se la pasaban hablando. Inclusive la madre de ella dijo, esta última vez, "Qué cosa, cuánto tiempo que estuvieron de novios ¿no? a partir del momento que la dejaste y te fuiste del pueblo todo cambió en esta casa". La madre le contó que todo cambió después que él desapareció, para ellas ¿verdad? La madre ya no pasea más, no sale a la calle, se queda encerrada vigilando a la hija. Porque la hija hace lo mismo, ingresó a la iglesia ahora, está siempre en la iglesia, ese tipo de cosas ¿está claro? Rezando para que no le dé el ataque, y ahí empieza a clavarle las uñas a la pared, de los nervios. No sale más, no va al baile, no va a las fiestas, no va a nada más.

—Pero aquel día fui al campo, en vez de ir al colegio ¿verdad? ¿o no?

Estuvieron todo el día juntos, pronto se iba a hacer de noche, echados en el pasto. Fue lo siguiente: más temprano habían peleado, y él le dijo que si no le daba lo que él le pedía nunca más la iba a volver a ver, ella estaba entre la espada y la pared, "¿Cómo va a ser?", quería saber ella, y él le dijo, "Yo te explico". Y la fue abriendo despacito, porque aquel era un carocito duro.

—¿Fue ahí que sucedió por fin, entre los matorrales?

¡Puta que lo parió! no fue blando, no, él mismo se lastimó, y la lastimó a ella. Allá entre los matorrales. Ahí después pararon. Ahí unos cinco días después empezaron de nuevo, siempre a campo abierto.

—Pero la primera vez ¿fue ahí en el campo?

Él la convenció de que fueran al campo solos ¡después de una espera del carajo, me cago en la suerte! por primera vez ¿no? En la casa ella dijo que iba al colegio, como todas las mañanas.

—¿Adónde es que vamos? ¿cómo va a ser ese dolor? no sé cómo es.

Él le dijo, "Allá yo te explico, vas a poder cortar muchas flores". ¡Cómo le gustaban las flores! rosas, margaritas, dalias, y la flor del girasol, cuanto más grande el girasol más le gustaba.

—¿Yo qué hacía con las flores?

Generalmente ella las colocaba en una jarra, encima de la mesa, en la cabecera de la cama también se imagina él, al lado de la televisión. Ella le preguntó a él, "¿Por qué será que a mí me gustan tanto?" Y él, "Yo nunca supe, esos son misterios de la mujer, la mujer generalmente gusta de ese tipo de cosas, como las flores".

—¿Por qué les gustan más a las mujeres que a los hombres?

Son lindas, la gente pasa y ve unas plantas y dice, "¡Qué bien están creciendo esas plantas, y dan flor!" Generalmente las cosas andan bien entonces, todo el mundo queda contento y sigue caminando, los enemigos son el picaflor y las abejas. La abeja generalmente abre las flores para sacar la miel, el picaflor lo mismo. Se come a la flor, se la monta bien montada. Le chupa el jugo. La flor muere, si iba a durar diez días va a durar tres o cuatro ¿verdad? en términos generales, se chupan la flor y le comen todo. Amigos de las flores son el sol, un poco a la mañana, y el agua. Si es flor de una planta casera las mujeres son las que le dan agua todos los días. Si es una flor de los matorrales, tiene que esperar el rocío de la madrugada ¿verdad? El automóvil de él, cuando lo tenía, amanecía así todo mojado, de ese rocío de la madrugada.

Capítulo IV

—Te volviste a quedar dormido. Hace un rato te desperté y no me hiciste caso.

Él siempre le pedía a ella que se lo agarrase fuerte con una mano.

—¡Basta! no te andes toqueteando más.

Y ella siempre le daba el gusto, hasta dentro de la casa de ella misma, siempre se lo agarró, se lo apretaba bien, al ganador aquel ¿no? Ahí entonces él le pasaba la mano bien fuerte por esos pechotes de ella, se los refregaba bien, le hacía un masaje general, ella quedaba loca, llegaba hasta medio llorar, loquita de ganas, y hasta chillaba. Hacía así, "¡Ham, hum, haim, ham, ay qué lindo! ay qué bueno que es mi novio conmigo". Todas esas cosas se le escapaban de la boca.

—Todo eso es cierto, pero sucedió hace mucho y los tiempos cambiaron, tenemos que hablar de otras cosas.

Ella metía la mano por adentro del pantalón y sacaba todo para afuera. Ella tenía que chupar también ¿no? Pero eso nunca lo hizo. Decía que no. Él siempre le decía, "¿Qué te cuesta chupar un poquito?" Y esas cosas, "Eso forma parte del amor".

Pero ella, "No, no, yo no hago eso". No aceptaba por nada del mundo. Ni siquiera un besito le dio, "Dale un beso al garrotito". Ella al novio le besaba mucho la boca, pero el garrote nunca se lo besó. Decía que no, "La mujer no hace eso". Ahora ¿verdad? tal vez si fuese ahora, tal vez lo haría. Porque ahora a la mujer le gusta chupar un garrote. Los tiempos cambiaron. Ella creía mucho en él, porque él le decía que se iba a casar con ella, para que ella no tuviera esa duda, "¿Me estás creyendo todo lo que te digo, mi amor?" Ella fue entrando en el asunto ¿no? le decía a él, "¿Qué tengo que hacer para que veas que te creo?" Y cosas así. Y él, "El asunto es el siguiente: yo no soy Dios, para que creas en mí, lo mejor es que creas en Dios y no en mí". Eso es lo que él siempre le decía. Y ella le decía a él, "Pero..." Y esas cosas, porque ella sentía que la vida estaba cambiando, pasando de la infancia a ser mujercita. Ahí ella quedó como loca, en ese momento de la vida ellas se ponen locas, de atar ¿verdad? y le dan lo que tienen, al tipo que quieren de verdad. Entonces fue en esa época, él se quedó esperando la fase ésa de ella, cuando surgió la fase, él sintió que ella estaba en la fase y arremetió ¿no? Lo importante era que ese día al campo con ellos no fuera la Delfina.

—¿Quién era?

La mejor amiga de ella, más crecida ya, más viva, la que le traía a él siempre los papelitos cuando la Gloria no podía aparecerse. Una de sus más grandes amigas, que después pasó a ser amiga bandida. Porque se lo quería robar a la Gloria, hasta le hacía propuestas, "Yo te voy a dar lo que ella es muy jovencita y no te puede dar".

—Tu mamá salió para el hospital antes de las seis de la mañana, puede volver de un momento a otro y encontrarte todavía en la cama. Mi papá tenía razón con todo lo que decía en contra tuya. Es la última vez que te pido que te levantes.

En la cama él quiere quedarse unos minutitos más, nada más ¿verdad? porque otra cosa que él no se tiene que olvidar es que a la María da Gloria él le enseñó a mirar la luna, que ella nunca antes había pensado que se podía mirar un rato largo. Eso él sabía cómo se hacía, alguien se lo había enseñado.

—¿Quién?

Él nunca se lo contó a la María da Gloria, para que no se enojara. De día en el campo ella sí miraba los pajaritos. Él le dijo que también mirara las nubes del cielo ¿verdad? y de día ese verde lindo, ese campo, muchas cosas diferentes, muchas piedras bonitas.

—¡Todavía no te has levantado! no quiero oír más una palabra tuya.

Piedras altas, grandes ¿verdad? Entonces ellos corrían a ver quién alcanzaba al otro, ahí generalmente él se escondía detrás de aquellos pedazotes de piedras, bien escondido, y ella lo empezaba a rondar, como antes él le hacía a ella. Él le decía, "Hay que cerrar los ojos, taparse los ojos con las manos, y después se puede empezar a buscar al que está escondido". Ahí él se escondía rapidito en los matorrales, y detrás de aquellas piedrotas de su puta madre, y eran las cosas que ellos hacían para estar contentos, esos juegos y cosas así ¿verdad? A ella le costaba encontrarlo, y si no lo encontraba él se le aparecía, "¡Aquí estoy!", y esas cosas. Ella iba corriendo, ahí decía, "¡Ay, qué tipo éste! ¡qué bien que se sabe esconder!" Ahí generalmente cuando ella trataba de esconderse él la encontraba. Ella decía, "¡Qué tanto embromar! ahora quien se esconde soy yo". Y él de acuerdo. Ahí las piedras generalmente eran negras, oscuras con unas lonjas blancas, unas piedras muy lindas que existían por esa zona, y cerros, árboles muy grandes, muchas cosas diferentes, bastantes flores del campo, y maderas de Ipê, lindas, Palo de Brasil, todo así. ¿Se acordará ella de eso? ¿o es que no piensa más en él?

—...

Había muchas flores del campo, amarillas, bien lindas. Representan los colores de Brasil ¿no? las hojas de las plantas son el verde, la bandera brasileña, y aquellas lonjas de piedras blancas componen las estrellas brasileñas. A él no le gusta el color amarillo para la ropa, pero le gustan mucho las flores amarillas. Supongamos, si él fuera a una casa de comercio, donde venden ropa, él nunca compraría algo amarillo. Y a veces ella le preguntaba por qué no se ponía nada amarillo. Ella tampoco se ponía ese color, se lo había prometido a él ¿andará usando algo amarillo ahora? ¿por qué ella no está pensando en él, en este momento?

—...

Para él el amarillo representa muchas cosas

¿no? los pajaritos amarillos, los canarios, y las flores, le gusta ver ese color. Entonces ellos dos ¿verdad? se divertían mucho, andaban, así sin rumbo, no tenían nada que hacer, la cuestión era subirse a un cerro, a otro, a un cerro más alto ¿está claro? A él la ropa color amarillo o color rojo no le gusta, camisas rojas, o pantalones rojos, nunca se pondría. Ella un día le dijo que había adivinado por qué a él no le gustaba la ropa amarilla, o muy roja fuerte, pero ahora él no se acuerda por qué era.

—...

Son colores que a él le gusta ver, cuando la gente se regala rosas rojas significa mucho afecto de un amigo para otro, de una amiga para otra o de un hombre para una mujer. Es un regalo que a él le gusta recibir ¿no es cierto?

—...

Y otra cosa roja que a él le gusta es la jalea, las cosas dulces no le gustan mucho pero la jalea de vez en cuando sí que se la come, porque él es jodido para comer, pocas cosas le gustan. Y le tiene odio a ver sangre, no le gusta nada, se vuelve loco, odia ver sangre. Un compañero en la obra en construcción estaba herido, se le cayó un ladrillo de seis metros, él quedó desesperado cuando le vio la cara toda roja de sangre. Lo tuvo que llevar al hospital, y quedarse con él todo el día. Y cuando él vio la sangre de ella que corría tampoco le gustó nada, francamente le dio pena, ¿verdad? ¿en qué estará pensando ella ahora? en él no piensa, porque los padres le hablaron mal de él.

—...

Para él no fue una satisfacción, la sangre no le gusta de ninguna manera. Puede ser la mujer más linda del mundo, que si le sale sangre cerca de él se siente mal. Todo, hasta un bife si tiene sangre no le gusta. Él está en contra de la sangre, cien por cien. De sólo hablar de sangre ya se está sintiendo mal. Ella a veces le cortaba rosas color rosa, no rojas del todo.

—...

Él tenía muchas amigas y era muy querido, y generalmente se acuerda de las rosas color rosa que recibió, entonces generalmente cuando tenía tanta popularidad con aquel grupo de muchachitas amigas entre ellas ¿verdad? él recibía muchas rosas, pero después, ahora no recibe ninguna rosa porque no vive con aquel grupo con que vivía antiguamente ¿está claro? entonces así no hay modo de recibir rosas, y cosas de ese tipo. Ahora si es el cumpleaños está trabajando, como otro dia cualquiera. ¿Ella no se acuerda del cumpleaños de él? En este momento ella no está pensando en él, no va a hacer las compras, ni a la plaza. Ella no sale de la casa, se queda tirada en la cama y se va poniendo cada vez más triste. Como él, tirado en la cama.

—...

Donde él vive no tiene muchos amigos. Y generalmente los amigos que tiene no son buenos ¿verdad? Así no vale. Son amigos que quieren dinero, que quieren que les pague la bebida, y él no transa con esos asuntos ¿está claro? Él trata de vivir entre él y el hermano negro, nada más que entre ellos se entienden. Porque solo siempre no se puede andar

¿no? ¿Qué estará haciendo la María da Gloria en este momento? Mejor que él se levante de esta puta cama ¿verdad?

—...

La verdad es que él no tiene hermano negro, es uno que quedó huérfano, y la madre lo crió, él lo vio el día que lo trajeron a la casa. Lo cuidó y nunca lo picó una cobra, porque lo cuidaba y le enseñó a escuchar cuando se está acercado una. No todas hacen ruido. La más brava de todas hace ruido, la surucucú dorada, una cobra linda como ninguna, tiene un cascabel, entonces cuando oye a la persona a un kilómetro de distancia empieza a tocar, hace así, tic, tic-tic-tic. Hace ese ruido con el hocico, revolviendo el veneno en el hocico. La mordida de la cobra es increíble, si muerde cinco minutos después la persona muere ¿verdad? entonces cuando viene al ataque, viene respirando fuerte, respirando con rabia, con la gana de morder a alguien. A la Gloria le daba miedo cuando él hablaba de las cobras ¿no? se tapaba las orejas ¿no es cierto?

—...

Una vez él vio un perro ¿no? la cobra lo mordió, no tardó tres segundos en morirse, él alcanzó a oír el salto, lo picó. El perro trató de morderla, y esto, y lo otro, la cobra consiguió prenderse y el perro cayó, la otra se quedó mordiéndolo, picándolo todo. Porque para vivir feliz tiene que inyectar el veneno en la presa. Solamente mordiendo es que sale ¿verdad? si ella muerde a alguien se queda bien por un rato largo, si no mordió a nadie el veneno le queda haciéndole mal, jodiéndola un rato largo, queda nerviosa, llena de ganas de prenderse a alguien, descargar el veneno. Entonces una vez que agarra a alguien lo muerde a gusto, le da todas las mordidas que puede, se le enrosca a la persona y queda mordiéndola, picándola toda ¿verdad? Muerde a cualquier animal que se le ponga a tiro, el que aparezca, perro, mono, lo que se presente, pero a un tipo es más difícil, porque oye el barullo, un tipo despierto como él, y el tipo corre. Él se fue de Cocotá bien a tiempo ¿verdad? que le querían ahí echar el lazo al cuello. Pero se les escapó. Y lo que les quedó es aquella casa bien triste, con una hija más nerviosa que no sé qué. Y si no piensa en él que piense en el mismo carajo.

—...

A él le pasó varias veces, de oír aquello, una vez estaba cazando pájaros con la escopeta, cazaba juritís, un pájaro grande como un pollo, para comer. Él iba silbando, distraído se había quedado a la sombra de unas piedras grandes, miró para arriba y tenía una cobra grandota. Atravesada. Él silbaba como silban los juritís, pero aquella era una cobra, y también silbaba, él se dijo a él mismo, "¡Hija de la gran puta!" Él había estado buscando al pájaro y se encontró a esa puta de mierda, ahí él se echó atrás y ella se le venía encima con esa boca abierta, lo único que él podía hacer era apuntarle bien la escopeta y tirarle. Cuando tiró, se le cayó toda encima, pero ya se estaba muriendo. Él le dio rápido al gatillo, ahí nomás ¡pum! cayó la puta, pero otra vez fue increíble, él estaba comiendo algo subido a unas piedras ¿verdad? y vio una muy lejos, bien gruesa, que casi no alcanzaría a abrazarla toda, de más de veinte metros de largo. Ahí él se quedó mirando todito el tiempo, como cinco horas la estuvo mirando, sin hacer otra cosa, generalmente ella andaba, se paseaba, todo eso, hasta que por ahí se entró en un agujero, en el suelo. Desapareció, "¡Mierda, esa cobra es grande como el carajo!" Y la intención de él era colocar un anzuelo grande para agarrarla, engancharla. Le ponía un pedazo de carne, con anzuelo, como de pescar ¿verdad? y una soga bien fuerte, y empezaba a tirar ¿verdad? aquella cobra grandota, atragantada. Ya tenía preparado todo pero se le olvidó cómo tenía que hacer y llamó al padre en el momento que el cobrón se asomó, "¡Virgen Santísima, corramos ligero, m'hijo, que este bicho es muy grandote ¿no?" Ahí corrieron y después el padre fue a buscar no sabe cuántos litros de alcohol de quemar y los echó al agujero y le prendió fuego, y ahí adentro de las piedras se revolcaba que se alcanzaba a oír. Debajo de la tierra, loca por salir, pero no podía. No se sabe si murió, o lo que le pasó, si se volvió loca de rabia ¡que se joda por hija de puta! ¡que se revuelque! Pero a partir de esa vez nunca más la vio. Cuando él hablaba de cobras la María da Gloria salía corriendo, para no oír ¿cuántos años hace de eso? Él por más que quiere acordarse a veces hasta se olvida de la cara de ella. De la boca.

—...

Él la quería ver libre a la cobra ¿está claro? él la había visto libre más de una vez, pero no se le podía acercar, lo máximo era a cien o doscientos metros, pero cuando ella oía que tenía a alguien cerca se ponía toda alborotada, levantaba la cabeza hasta un metro y medio, o dos metros, para buscar la persona. Entonces él se escondía, pero no la perdía de vista, aunque a cualquier movimiento él salía disparando como loco. El padre de él oía cuando se acercaba una. Ahora no está, el padre abandonó el trabajo, lo dejó, se desesperó y dejó de trabajar. Pero ahora es viejo. Hace muchos años también mandó todo a la mierda, y ahí cada uno tuvo que arreglarse como podía. El padre trabajaba sin parar, hasta que cayó en la desesperación, vio que el trabajo no rendía y declaró la huelga, la huelga con él mismo ¿verdad? No hacía más nada, salía para el bar y se tomaba unas cervezas, la mujer quedaba en la casa con los hijos que empezaban a crecer. Ella hacía lo siguiente: iba vendiendo las cosas que tenía, para no ver a la cría en esa situación. Vendía los chanchos, las gallinas, cabritos, y traía lo que podía a la casa, y encima todavía pagaba las deudas de él ¿está claro? no era fácil. La María da Gloria no sabe lo que es andar con hambre. Si un día tuviera hambre se le pasarían los nervios, qué joder.

—...

No le quedaba ni una gallina, ni un cabrito, nada de nada, la madre de él entonces empezó a lavar la ropa de otros, pero no alcanzaba, y entonces fue de sirvienta a una casa, esa vez nomás ¿verdad? y a mucha honra, para darle de comer a los hijos.

—...

La madre de él tenía cuatro en aquella época ¿no? Ahora el padre cambió, está totalmente cambiado, no empina más el codo. Pero ella llegó a esa casa y les pidió que le dejaran limpiar todo, pero que le pagaran por adelantado algo porque ese día los hijos no tenían nada que comer. Las personas aquellas eran conocidas de ella y más acomodadas, a veces la ayudaban. No había que preocuparse de nada porque ella mandaba las compras para la casa de ella, y ahí ella se quedaba a trabajar pero no importaba porque ya había algo para comer en la chacra, para que la hermana de él cocinara la comida de todos ¿verdad? La madre lavaba, limpiaba, todo el día afuera, y carpía la tierra en la huerta de esas casas. Por eso es que ella ahora ya ni se aguanta en pie, pobre vieja, vendía los pollos y el último cabrito que le quedó, para comprar las otras cosas para comer, pero una vez no consiguió venderle aquel cabrito a nadie, y lo mató, y la cría se lo comió ¿verdad? y es sabrosa la carne de cabrito, hasta ahora le siguen las ganas a él, es increíble, y esta noche va a haber un plato de arroz porque la madre tiene siempre algo para comer aunque sea casi fin de mes. Él se comería un bife, más que cabrito todavía.

—...

La madre de él nunca los abandonó. Y nunca jamás va a permitir que él se quede sin techo. Antes se deja matar.

—...

Y no llegó del hospital antes que él salió al trabajo. No lo vio que se había quedado en la cama como dos horas más. Cuando a la noche él se baje de este puto ómnibus la madre le va a decir, "Hijo mío, ¡cuántas horas de trabajo!" Y él le va a contar la verdad, que hoy aumentó otra vez el pasaje hasta Río. Ella hacía aquel chuño y las sopas. Ella agarraba los nabos y los hacía con arroz, eso en aquella época, claro. No había nunca carne, no había moneda para eso, hacía una polenta especial, que ella hacía y era para chuparse los dedos. Ella agarra la harina de maíz, la condimenta con ají, y le pone chicoria, corta las hojas en tiras, las mezcla y queda una sopa de la gran puta, una sopa espesa fuera de serie. Él le pide todavía que la haga, él le dice lo siguiente, "Señora, haga aquella sopa que usted hacía cuando estábamos en la vía..." Y ahí ella, "Está bien, pero a mí no me gusta acordarme de aquellos tiempos, hijo mío". Él dice, "No se haga problemas, hágala nomás que a mí me gusta". Y ella la hace ¿verdad? Polenta, ají, chicoria, todo mezclado, lo echa en la cacerola y hace un montón de comida. Todo hervido ¿verdad? lo único es que no lleva carne ni nada, nada más que polenta, o los nabos, y las hojas. También al hijo le cocina ahora mucho arroz, con banana frita, y un buen bife. Esta noche aunque no le digan él ya sabe que no va a haber de aquella polenta, arroz solo. "Hijo, de acá al final del mes no da para más, y si no me compongo no va a haber más remedio que hacer lo que nunca quise..." Él no la escucha cuando la madre le viene con eso.

—...

Si la madre se va el Zilmar puede venir a vivir con él. En la casa de enfrente a la casa de la María da Gloria había una mañana un negrito, la madre era una sirvienta y se había muerto, "¿No se lo llevaría usted Carminha a su casa, para criarlo con todos sus hijos? nosotros le damos algunos cruzeiros y así entre todos le salvamos la vida ¿no?" En esa casa de ricos tenían una hija, la Olga.

—...

La Olga espiaba desde la ventana de ella, cuando él y la Gloria hacían sus negocios en lo oscuro. Por la casa de la Olga la madre de él pasaba todos los días, a saludar. Y él también iba, y jugaba con la Olga, hasta que se ponía oscuro para el otro negocio, enfrente. Y la madre de él cuando volvió el padre a trabajar a la chacra empezó a tener hijos otra vez, él era muy chico, "¡Josemar, Josemar!", siempre lo llamaba el padre, como a un tornillo, lo iba apretando cada vez más, hasta que se quedaba ahí que no se podía mover más. Y la madre a veces no lo podía defender, porque estaba en la cama enferma, o a veces ya estaba por parir. Y si estaba por parir no iba a otra parte a trabajar, pero lavaba y planchaba para otros ahí en la casa. Esta noche al volver si la madre está mejor de salud él le va a dar un gran abrazo, "¡Señora, muy bien, felicitaciones, usted se está curando, y bien rápido! ¿no? ¿O es que no se está curando?"

—...

Él iba y le decía a la madre que el padre apretaba el tornillo cada vez más, pero ella estaba en la cama quejándose de los dolores, porque iba a tener familia otra vez. Ella no tenía la culpa ¿verdad? ella estaba sintiéndose muy mal.

—...

Él le decía, "¡Señora, señora! por favor ¿cuándo va a estar bien otra vez? señora, no puedo más de cansado, ya junté las vacas, ya carpí la tierra para los tomates, y arranqué el pasto venenoso, ¡ahora él me va a mandar a cortar la caña y me duelen los brazos, y tengo una llaga en esta mano!" ¡mamá! ¿dónde está? ¿ya la llevaron a parir al hospital?

—...

Había una escuela en el campo. Había una en el pueblo y otra en el campo. Él iba a la del campo y la maestra se llamaba Valseí. A él le gustaba, volvía a la casa siempre pensando en ella ¿verdad? no se esperaba conocerla tanto un día ¿no? Ella vivía en el pueblo y él en el campo. Era soltera esa maestra, y nunca faltaba a clase, nunca estaba enferma. No lavaba y planchaba para afuera. Ahí él llegó, a aprender con esa maestra muy bonita. A él le gustaba, pero con aquella locura de amor infantil. Le escribió un mensaje y se lo colocó debajo del libro de asistencia. Él ya tenía once años, todavía no había aprendido a escribir bien ¿cómo era que le escribió? "Mi querida maestra Valseí: yo sé que respeto la presencia de usted, además por lo gran maestra que es, pero estoy locamente enamorado de usted. Sé que a través de esto puedo perjudicar mis estudios y puedo recibir un excelente castigo". También a ella, cuando lo vio, le costó creer. Pasó meses para hablarle del asunto, él estaba siempre esperando la reacción, en aquella época ¿está claro? Ahí, un día todo lo más bien, ella le habló, es que cuando ella leyó el mensaje sintió que era infantil ¿no? "No sé quién me escribió este mensaje". Entonces allá, en aquella época, las maestras cuando le querían llamar la atención a un alumno, para no estar delante de los otros, lo hacía esperar hasta que todos salían del aula. Después de clase lo mandaba arrodillarse sobre el maíz picado. Ella echaba en el piso el maíz y ahí había que arrodillarse para la penitencia. Aquel día él se quedó quieto, pensando que ella le iba a pegar, porque en aquella época las maestras pegaban. Ella agarró un puñado de maíz y lo fue tirando despacito al suelo, le preguntó si tenía otros hermanos. Él le contó que era el tercer hijo y después otros más, que habían pasado unos años bastante mejores y ahora la madre había tenido otro después de mucho tiempo y estaba esperando otro más, porque el padre estaba trabajando de nuevo en la chacra y tenían para comer, "Señorita, el problema es el siguiente: fui yo quien le escribió ese papelito, realmente creo que hablar la verdad es sentir, sacar mis sentimientos al descubierto, eso no es ninguna novedad". Entonces él le dijo que bueno, que él la quería. Le habló franco, bien franco, "Usted no se preocupe, puede hacerme arrodillar en el maíz picado, pegarme, pero no me va a convencer. Yo estoy completamente loco por usted, estoy enamorado. Me vuelvo loco por darle un beso en la boca", le dijo a ella, y ahí ella se le sonrió, largó una risa y después le dijo así, "Te llamé para darte unos consejos; esto va a perjudicar tus estudios, pero voy a agradecerte la gentileza de escribirme ese papelito, a mí me gustó, fuiste el primer alumno que perdió la cabeza por mí, hasta el día de hoy he tenido más de mil alumnos y nunca me dijeron que me querían". Entonces él le dijo, "Mire, querida señora, el problema es el siguiente: yo la quiero de verdad, yo la voy a esperar, cuando crezca y sea mayor la voy a ir a buscar, voy a ponerme de novio con usted ¿está claro?" Ahí ella le dijo que faltaban muchos años pero que en el mundo había muchas cosas lindas, no solamente en Río de Janeiro y San Pablo, más que nada ahí en el campo, y que tenía que mirar qué hermosas eran las plantas. Y él le dijo que a la noche pensaba en ella porque todos se dormían temprano y la madre estaba siempre descompuesta en la cama, después de trabajar todo el día, lavando y planchando para afuera, y esperando familia, y él se ponía triste pensando en ella, en la maestra. Y la maestra Valseí le dijo que a la noche no se veían las plantas, y los cerros, y las flores del campo pero hay que mirar la luna y las nubes que son muy bonitas, y las estrellas, "Te parece que soy linda y por eso cuando estás triste a la noche te vienen ganas de verme, pero hay otras cosas más lindas todavía, y hay que aprender y acordarse de salir a mirarlas, y así se te va a pasar la tristeza". Todos dormían en la chacra, el padre también, ya no se iba más al bar a tomar aquellas cervezas, ni a otras partes todavía más lejos, trabajaba otra vez en el campo. Dormía toda la noche, aunque pensaba que el tercer hijo no era hijo de él.

—...

Lo trataba al tercer hijo como si fuera adoptivo. No tenía celos de otro hombre, ni sospechas, no tenía ese problema de estar pensando una cosa así sin pie ni cabeza, pero generalmente lo que hablaba eran estupideces, mucha mentira. No decía que el tercero no era hijo de él, pero hacía bromas. No llegó nunca a hablar en cristiano, claro, pero la abuela, la paterna, la abuela del tercero una vez lo dijo. Que el tercero era hijo del dueño del campo, que tenía muchos campos y el padre se lo araba con la yunta de bueyes. Pero el tercero sabía que no era verdad porque su madre era una persona muy honesta, correctísima. No era más que un chisme que había corrido por ahí, porque el tercero era diferente de todos los hermanos. Era bastante más blanco, pero no mucho, pero el pelo no era negro y duro de indio, era ondeado, castaño. La Gloria se lo decía siempre ¿no?, "Tu pelo me parece que es todavía más suave que el mío"

—...

Los hermanos eran todos de pelo duro, negro, la madre de pelo negro duro largo hasta la cintura, el pelo del padre cortado bien corto, y con aquel pensamiento siempre, tal vez por eso le exigía más que a los otros ¿verdad? "¡Josemar! rápido a carpir la tierra, todo aquel terreno hasta donde se termina, y hay que traer las bolsas de calabazas, y lo peor de todo, lo que más rabia te da hacer, que es cortar la caña ¡sinvergüenza, rápido a cortar la caña he dicho!" Los padres no eran indios, habían nacido en alguna chacra, o en el pueblo, pero no en matorrales de allá lejos ¡nada de eso! ¿qué se cree la gente? Los padres de los padres tampoco, pero los abuelos de los padres sí. El tercer hijo le preguntaba a la abuela materna si ella era india, y le decía que no, que a la madre de ella sí la habían agarrado entre los matorrales, al fondo allá en la selva, le habían echado el lazo, y cosas de esas ¿verdad? Fue con un lazo que la agarraron, y después la amansaron ¿no? esas fueron las informaciones que le llegaron a él, pero los indios que había por allá no eran peligrosos, los agarraban y los domaban, y fueron saliendo y saliendo lo que son personas normales ¿está claro?

—Eran salvajes, tiraban flechas, a todo le tiraban.

¡No, no eran peligrosos! Atacaban si eran atacados. Si a un indio o a una india les raptaban una hija, ellos, ahí ellos atacaban de cualquier manera ¿verdad? con flechas, esas cosas de ellos, garrotes, en el pueblo hay un museo, con los penachos, todo lo de la cabeza, y las ollas de ellos, de barro, y esas pipas grandes de fumar. Pero en la casa de la abuela ya no tenían más nada de eso, aunque todavía hay indios, en la selva, pero allá muy al fondo, como a cuatrocientos kilómetros, se puede ir pero cuando se entra en la selva es fácil de perderse, y allá al fondo están con unos pedazos de tierra sembrados, nada más que para lo que necesitan para comer, en mil novecientos y algo le dijo la abuela que habían agarrado a aquella india, y la amansaron, hasta pasar a ser una mujer normal, y usar vestido, ropa, porque antes andaba con aquella cosa como tanga y la costumbre de rezar. Porque creía mucho en Dios ¿verdad? como la madre de él, que no ha hecho en la vida más que trabajar para los hijos, y cree en Dios tanto como una santa.

—...

Aquella que trajeron de los matorrales después de amansada todavía seguía con eso, el rezo de la descendencia de indios, a la hora de dormir hacen un ruido, se ponen a rezar cuando van a dormir ¿verdad? así lo andaban contando en la familia. Rezaba en ese idioma de ellos, no en cristiano. En la familia de él son todos hijos de hijos de indios, no hay ninguno que sea portugués, sangre toda pura, una sangre purificada se podría decir, de vivir honestamente con el trabajo de cada uno, y de no haber tenido en la familia ningún portugués. Ni italiano tampoco. Pero en la próxima parada del ómnibus él se tiene que bajar, y ponerse a trabajar en ese puto baño mal hecho. Porque si no tenía nada que hacer se volvía a Santísimo con el primer ómnibus que pasase para allá, la madre ya debe estar de vuelta del hospital y no hay nadie que la cuide.

Capítulo V

—Por favor no me hables de las cobras, por acá cerca puede haber una, y no la vemos.

Si ella tiene miedo ¿por qué se mete? Él sabe defenderse ¿para qué la necesita?

—Son tres cuadras muy oscuras hasta el otro ómnibus.

Si a él lo asaltan hoy tienen algo para robarle, el bifazo que se lleva en la bolsa para la casa. Pero de las cobras se sabe defender ¿ella qué se cree? aunque en esta puta ciudad no hay ni eso. Él salió tantas veces para armar una trampa, para agarrar pajaritos ¿no? y ahí estaba distraído armando la trampa cuando miró así y a unos veinte centímetros de las costillas tenía una cobra verde. Igual a esas hojas de esos árboles, toda verdecita, pero ni la cobra de agua ni la cobra verde ninguna muerde. A nadie. Salen corriendo como un pedo cuando ven a alguien, lo que se comen es ratones, mosquitos, insectos, esos bichos chiquitos. La cobra brava mata a los bueyes que toman agua en el río, y se traga un chancho, una gallina. Ataca tanto con la cola como con la cabeza. Con la cola agujerea, da una puntada. Con la boca muerde, dos dientes como dos ganchos, no hay quien se zafe. La cobra en el agua no muerde, él y la María da Gloria se pueden desnudar y bañarse en el río.

—No.

La cobra en el río no muerde porque el veneno se deshace en el agua. La cobra no toma agua, por nada del mundo. Porque cuando siente sed no toma, dicen que toma cada diez años, o cada seis meses. Eso él no se acuerda, pero sí sabe que la cobra antes escupe todo el veneno en una hoja, de esas de cuello redondo, como si fuese una palangana. Vuelca todito el veneno. Después cuando terminó de tomar agua viene y se lo chupa de nuevo, todito para ella, porque cuando no tiene comida se alimenta a través del veneno.

—No me hables más de animales feroces, me dan miedo. Yo sé lo que pasó esta tarde, con ese viejo que te pidió un favor, que le destaparas la pileta de la cocina.

—Un agujero tapado por los cuatro lados, emparedado de ladrillos, cayó una cobra, no puede salir, no tiene nada para comer, diez, quince años. No se muere. Vive del veneno. Lo único es que va quedando finita, finita, del grosor de un piolín, pero morir no se muere. Hubo un amigo, un tipo bien joven, y sucedió allá cerca de Cocotá, que encerró una cobra en un agujero, y lo tapó, le puso una piedra encima, y diez o quince años después pasó por ahí y se acordó, "Una vez metí una cobra en ese agujero", un agujero que había por ahí. Y ahí se puso a cavar, y cavar, hasta que descubrió donde era, pero cuando terminó de destapar pensó que ya estaría muerta ¿verdad? Y cuando sacó la piedra esa la cobra le vino por detrás y se le prendió de la mano, y cayó muerto ahí mismo. Son cosas que pasan, el muchacho tenía unos dieciocho o veinte años. Él no se acuerda del nombre del muerto, era un amigo de él.

—El viejo que vive al lado del departamento del baño roto está casi ciego.

El viejo lo llamó para destapar la pileta de la cocina. Él entró y vio que el viejo estaba solo y no se daba cuenta de nada. Y había unos billetes de mil cruzeiros sobre una mesa. Y un buen bife sobre el mármol de la cocina.

—¿Te invitó a comer?

No daba el tiempo, la vecina del baño del carajo estaba esperando. Pero el viejito ese lo envolvió en un papel y se lo regaló.

—Te trató como a un muerto de hambre, como a un mendigo.

¡Puta que lo parió! cómo hay de gente descuidada, dejan el dinero tirado por ahí, pero dentro de cuarenta minutos que él se baje de esta mierda de ómnibus la madre de él le hace el bife. Él la convidaría ¡hasta con la mitad! pero ella no puede comer carne, es por los dientes que le faltan.

—Si fueras una cobra ¿a quién morderías?

Él no está ahora en Cocotá, por acá no hay cobras.

—La situación es ésa, pongamos, hay que morder a alguien, porque no vas a poder vivir con el veneno, hay que elegir una víctima.

¿Él tiene que elegir una víctima? ¿da lo mismo

hombre o mujer?

—¿A quién picarías, a un hermano tuyo o a una hermana?

Él nunca haría eso. Mordería aquella vaca, tanto odio que le tenía que la mató, la hizo cagar de un tiro.

—¿Y a la mujer aquella que tenía tu papá?

A ella no le tiene odio. Él fue creciendo y todo se acabó ¿verdad? No la mordería, de ninguna manera. Porque el caso es el siguiente: cuando se es una criatura se piensa de una manera, pero cuando después la gente se entera de cómo es la vida, se vuelve hombre y esas cosas, se piensa diferente. Después se sabe que el hombre casado nunca tiene una mujer sola, generalmente tiene dos, tres, cuatro, cuantas sea posible ¿está claro? cuando él andaba con la Gloria tenía otras. Y al final de cuentas él tendría que pensarlo, a cuál quería más. La Gloria se creía que era ella la principal ¿verdad? ¡que se lo crea! si así está más feliz.

—¡No es cierto! lo que quiero saber es la verdad, de todo lo que pasó.

Y ahora que ella está mal de la cabeza se lo debe seguir creyendo.

—No es cierto, me estoy curando y lo que quiero saber es la verdad y nada más.

Ella que piense lo que quiera, él no se va a morir por eso, qué tanto joder, hoy él se va a ir a dormir con el buche bien lleno ¿para qué la necesita? Si ella no lo quiere más a él no le importa. A él hubo una mujer que lo quiso mucho, porque sabía muy bien que él era un hombre derecho.

—¿Cuántos billetes de mil cruzeiros había esta tarde sobre la mesa del viejo?

Vivía en el campo, en una chacra igual que él.

—No la nombres, por favor.

La Azucena, de pelo negro, no rubia como la María da Gloria.

—...

Ella tomaba parte de todo lo mismo que él, de lo que le gustaba a él, era más grande que la Gloria, en la cancha de fútbol también era una fanática seguidora del equipo, y el padre de la Azucena lo odiaba a él, no quería que ella fuese a la cancha, pero generalmente acompañada de un grupo de amigas ¿no? entonces ella lo mismo iba.

—...

Él le decía a la Gloria, "la Azucena me da lo que nunca me diste, no porque no tengas, sino porque nunca me quisiste dar". Él empezó a noviar con las dos, al mismo tiempo, a él le gustaba noviar escondido, bien escondido, nadie lo sabía, en el mayor secreto. Se encontraba con una primero y la otra después. La Azucena vivía en el campo, entonces le daba más oportunidad para encontrarse con ella durante el día. Mientras que la otra vivía en el pueblo. Con la de la chacra se daba cita debajo de los árboles ¿está claro? Él le decía, "Eh, fulana, te espero debajo de tal árbol, a tal y tal hora", y ella lo esperaba bien escondida, nadie la veía. Pero era muy arrebatada, lo quería de veras.

—Pero a ella no la querías de veras, porque era de una chacra.

Entonces él una vez fue a jugar un partido de

fútbol a una cancha, bien cerca de la chacra del padre de ella, y en esa época había otro tipo que gustaba de ella, y ella sabía, el tipo era torero. En las corridas de los pueblos, agarraba a la vaca por la cabeza, todo eso, y el padre de ella quería que se pusiera de novia con ese tipo, mientras que él nunca quería encontrarse frente a frente con el padre de la Azucena. Hasta que un día se encontraron, se sentía esa rabia tremenda, "Venga acá muchachito, usted anda rondando a mi hija, y ya he dicho que lo voy a matar, le voy a cortar los huevos con la guadaña, que usted anda con la hija de Rossi y quiere andar con mi hija también; me cago, usted tiene un montonal de mujeres y eso no va a poder ser, la mato a ella o lo mato a usted, a uno de los dos". A la hija le daba unas palizas de locura, por culpa de él. Sí que le pegaba. Ella decía, "¡Puta carajo, mi papá me pegó! estoy toda marcada por culpa tuya ¿no ves? pero yo le hago frente a todo, es inútil lo que haga, que no nos va a separar". Y así siguieron las cosas, cuanto más le pegaba el padre más lo buscaba a él ¿verdad? era inútil, iba a la casa de las primas de él, a la casa de las tías a buscarlo, hacía cualquier cosa para encontrarse con él, porque la mujer cuando se le da por un tipo jinetea a Dios y al diablo para encontrarse con el tipo. En fin, todo en orden. Ahí entonces ella se apareció un día, todavía él no se la había echado al buche, y él le dijo que no fuera al día siguiente a la cancha. Ella fue. Se armó una pelea terrible durante el partido. Todos contra él.

—Eras un chacarero que no tenía nada ¿por qué

todos en contra tuyo?

Fue a partir del segundo gol que él hizo. Él hizo el primero. Al hacer el tercero le decían ese tipo es el demonio. El juego no llegó a completar los noventa minutos.

—Son mentiras.

La pelea empezó a la mañana, con uno del pueblo que le tenía envidia por el fútbol, se cruzaron los caminos, él que era de la chacra y el otro del pueblo que jugaba muy bien a la pelota, él abrió la boca, "Esta tarde ¡cuidado! porque te toca marcarme, te voy a tirar dos o tres pelotazos y voy a salir haciendo un gol". Ahí cuando él hizo el primer gol no pasó nada, pero hizo el segundo y el otro no agarraba la pelota, y le dijo, "Voy a empezar a dar patadas para que no jodas", largaba la pata y largaba pero no lo alcanzaba, el de la chacra lo volvió a pasar cuando hizo el tercer gol y fue bien en el medio del lomo, el del pueblo le dio un puñetazo en el lomo, y ahí cuando le dio el puñetazo, "¿Estás buscando pelea o qué es lo que pasa?" Porque el tipo no era de esos de pelear. El tipo dijo, "Sí que busco pelea". Y él le dio unos golpes y lo empezó a usar de cachiporra para darle a los otros que se le vinieron encima ¿verdad? Era increíble, hasta que lo levantó al tipo en el aire y se lo tiró encima a todo aquel montonal de gente que se le venía.

—...

Ya después estaba por llegar la policía. Ahí un tipo que era técnico del equipo lo llevó al automóvil de él, nadie más lo tocó, él estaba todo empapado de sangre, de sangre de los otros, a él no le habían hecho ni un arañazo. Y esa noche era la toreada, el tipo aquel le iba a dar al buey. Ahí entonces él se fue a la casa, pero antes de irse dijo, "Carajo, tengo que hablar con la Azucena ¡me cago en ellos! tengo que hablarle". Se fue rápido hasta donde estaba ella, "Estoy en tal y tal lugar, te espero allá". Y ella dijo, "Imposible, lo siento mucho". Lloraba, no podía porque el viejo no le aflojaba un tranco, no la soltaba para nada. Él dijo, "¿Dónde vas a estar?" Ella dijo, "Voy a tener que quedarme en la corrida de toros por obligación". Él se fue a la casa, volvió en su automóvil, todos los demás en camionetas. Entró a la corrida, la vio a ella, al padre de ella. Ella sentada, el padre al lado y del otro lado el tipo, él ahora no se acuerda del nombre, vestido de torero con la ropa especial, qué mierda ¿no? y ése es el nombre de él, mierda, mierda de nombre y mierda de apellido. Él no sabe ahí qué le agarró, pero en medio de todo el mundo se acercó y le dijo, "¿Cómo estás, mi amor?" Y le dio un apretón a esa mano chiquita de ella. El padre le dio una bofetada en la cara a la hija, se le puso morada. Ahí él la tironeó para su lado, "¡Usted no le va a pegar más! ¡quiero ver si se anima a pegarle otra vez!" Puta mierda, ahí el padre y el tipo se le tiraron encima. Algo fuera de serie, se acabó la toreada. Él la agarró y le dijo que se fuera para el coche de él y le cerró la puerta, volvió a ajustar cuentas con los otros. Ahí se juntó el grupo que él se tenía preparado, soltaron al buey, todo el mundo salió corriendo, él le prendió fuego a la lona. Ella no lo quería al tipo, el padre la obligaba a noviar, qué mierda, ella tenía que decidir o uno o el otro pero el otro tenía total libertad en la casa del viejo y él no. Los tipos sacaron cuchillos, y revólver, se estaba quemando todo, entonces la muchacha se metió en el coche y salieron en fila, tocando bocina, bip-bip-bip que era para asustar más todavía al público que estaba corriendo. La tribuna llena se estaba viniendo abajo, y se oía decir muy bajito, "Ese muchacho es fuera de serie, carajo, peleó con todo el mundo y le dio a todo el mundo, vino a la corrida, le dio una paliza a todos y ahora ya se va tranquilo". Se fueron lejos, no a Cocotá porque no querían hacer lío, entonces atravesaron y se fueron a comer cabrito cerca de otro pueblo de por ahí, "Mi amor, el problema es el siguiente ¿qué es lo que te hace falta? ¿estás dispuesta a escaparte conmigo?" Y ella, "¡Sí, voy a donde me lleves! estoy en tus manos".

—La gente de las chacras es diferente de la del pueblo.

Los que viven en el campo son totalmente diferentes ¿no? la gente del pueblo sabe más cosas, y hasta se burla de la gente del campo. Los del campo hablan diferente, hablan mal, cuando tienen a una persona delante no le dicen las palabras que deben, los paulistas tampoco, parece que están siempre cantando, no hablan portugués claro. Y los del pueblo se trajean siempre bien y los del campo son gente humilde, tanto les da estar con ropa muy buena como con ropa común. Son simples para vestir. Andan mucho descalzos, entonces por ese motivo la gente del pueblo los encuentra raros, diferentes, entonces dicen, "Aquel es un chacarero, anda descalzo".

—¿Y el pelo? ¿eso también es diferente?

Cuando vienen por el camino pasa un camión, levanta la polvareda y les queda el pelo todo lleno de polvo ¿verdad? Y ahí se dicen entre ellos, "Aquel es un chacarero". Y ese tipo de cosas. Le empiezan a gritar y se burlan del tipo, de verdad, para disminuir a la persona, tratan siempre de disminuir a la gente del campo. Tanto que los del campo ya llegan al pueblo con miedo ¿verdad? de que alguien les grite algo, ya llegan con desconfianza ¿verdad?

—¿Yo cómo hablaba?

Maravillosamente bien, una voz muy bonita, de mujer femenina, hablando totalmente correcto. No despreciaba a los del campo, trataba a todos igual. Él le decía que era del pueblo, porque nació en el hospital del pueblo, y que después se crió en la chacra. Y que después estuvo en muchos lados, en el estado de Río, en el estado de San Pablo. Él le decía, "¿Cómo me vas a querer, sabiendo que mi papá vive en una chacra?" Y ella, "Lo que importa es que seas así mismo". En esa época nunca se desmayaba, a él se lo contó la madre de ella, la llevó a numerosos médicos y todo eso, problema nervioso, que esto y que aquello, y que no dio resultado, el único resultado es que dejaron de salir, y quedarse nada más que en la casa. Y lo que él razonó en su mente fue lo siguiente: ella empezó a dar esos espectáculos para que se lo contaran y él volviera a Cocotá, ella hacía aquellas cosas como de teatro, para que él oyera y la fuera a socorrer ¿verdad?

—¿Entonces no era verdad que me sentía mal? ¿también yo digo mentiras?

Él tiene que dejarse de preocupaciones, porque en este ómnibus está viajando cómodamente sentado y al llegar a la casa se va a comer un buen bife.

—¿Qué te pedía yo que hicieras, para progresar en la vida?

Después de sacarla en el coche de aquel lugar de la toreada, lo difícil era devolverla al padre, a la Azucena. Aquello no fue joda. Él se quedó con ella, la llevó a la casa de él, ahí cuando llegaron la madre de él no la quiso aceptar. Fue increíble. Fue el barullo más grande que armó en su vida.

—En tu bolsillo hay mil cruzeiros de más, que no son tuyos.

Él todavía no la había tocado. La dejó normal. Entonces se apareció el padre y dijo que la mataba a ella o la mataba a él, que se la llevaba y le iba a pegar, entonces se la llevó y le dio una paliza de las mil putas. Ella se dejó pegar callada, le dijo que era inútil ¿no? que no importaba cuanto le pegase que ella no iba a llorar, "Es inútil, yo no voy a llorar". Entonces más le pegaba menos iba ella a llorar. Ella contó que le quedaban las marcas del rebenque. Y pasaron unos quince días sin verse. No la dejaban salir. Al pasar los quince días él se dijo, hablando solo como los locos, "Me cago en su alma, dónde es que anda esa mujer ¿no será que el padre la mató?" Entonces hizo lo siguiente, tenía un amigo que vivía bien cerca de la casa de ella, entonces se fue hasta la casa del amigo para ver si la veía de lejos. Y el amigo le contó, carajo, sabía todo el asunto, "¡Me cago en el alma puta del viejo de mierda, la pobre está sufriendo lo indecible por tu culpa! ¡el padre todos los días le da una reverenda paliza!" Él se dijo entonces, "¡Hijo de puta, algo tengo que hacer!" Ahí ella tenía una hermana que también gustaba de él, con dos intenciones, para noviar en secreto y a veces también le pasaba mensajes de la hermana, ésa era la cuestión. Y esa hermana lo vio a él en casa del vecino, chupando un tronquito de caña y le hizo un saludo. Ahí él le preguntó que cómo estaba y esas cosas. Ahí ella le empezó a mostrar el lugar en que el viejo le había dado con el rebenque, pero era la Azucena que tenía todo el cuerpo morado, no la hermana, pero la hermana le mostró la espalda y todas las piernas bien cerca del culo, "Le pegó acá, acá y acá". A él le dio mucha lástima de la Azucena, él tiene un gran corazón.

—El viejo te regaló el bife, no se dio cuenta de nada.

Entonces él le dijo al amigo, "Vamos para allá". Ahí el padre no estaba en la casa, "¿Qué es lo que estás haciendo?" Y ella, "Papá me pega todos los días, mucho, y a la noche trae el Mancarrón ese. Ese torero que le dicen de sobrenombre Mancarrón. Todos los días lo trae y me tengo que quedar sentada al lado de él. Me estoy muriendo de rabia". Y esa tarde se fue de la casa y él la llevó a vivir a casa de una vieja que era la mujer más buena que todo el mundo había conocido en su puta vida. Tenía una casa de lo mejor, en el campo. Y la vieja le facilitó el trabajito al noventa por ciento. Le dijo a él, "La recibo aquí en mi casa, pero muchachito no te vas a quedar rondando por acá; pueden noviar, yo la recibo como hija pero no les voy a dar oportunidad para lo que no deben". La vieja tenía otra como la Azucena que también vivía en la casa, porque había parido soltera, pero se llamaba Teresa y era negra.

—La vieja la tomó de sirvienta, la Teresa también era sirvienta de la vieja. La vieja era la abuela de la Olga. En la casa de la Olga había otra sirvienta.

Pero él no se acuerda. La vieja esa había tenido hijos pero ya todos se habían casado y estaba sola con el viejo, quería compañía en la casa. Él se llevó al hermano de crianza que también era negro, para la Teresa. Entonces quedaron él y el negro del carajo planeando todo su juego, "¡Carajo, lo que nos vamos a echar al buche!" Él armó un plan justito. Él siempre era el que armaba todo, "Hoy vamos a cumplir el siguiente plan". Y estuvieron mirando por la huerta de mangos, unas plantas de mangos fuera de serie, chupando mangos y todo eso, viendo la cañada, con ellas dos, noviando, castigando fuerte con los dedos. Él le dijo así, "Esta noche me voy a dormir a tu cama". Y ella, "¿Pero cómo vas a hacer? La vieja va a ver y me va a echar". Porque la Azucena la había empezado a respetar a la vieja como se debía. Ahí él le dijo, "Es inútil porque después de todo ya recibiste bastantes golpes por mi culpa y yo también, ahora tenemos que tomarnos la revancha".

—La Azucena era india.

Él tenía miedo que un día se apareciese el padre de ella, a la orilla del río, con el Mancarrón aquel. Que lo esperase escondido. Pero nunca lo volvió a ver de noche, de día en el pueblo nada más. Y la vieja le entregó a la Azucena en bandeja, sin darse cuenta. Estaban los cuatro noviando por el cañaveral, pero noviando fuerte, un asunto de artillería pesada, y él le dijo, "Más tarde nos subimos, yo y el negro; para dormir con las dos", una de un lado y otra del otro, porque la cama era muy grande. Los cuatro se pusieron a mirar para la casa, era de dos pisos, "Tenemos que hacer lo siguiente: colocamos una escalera, temprano vas a buscar aquella escalera y colocarla fingiendo que estás arrancando naranjas de la planta subida en la escalera". Entonces ella lo hizo, ponía la escalera contra un árbol de naranjas, después contra otro, y a todo esto ya estaba empezando a oscurecer, entonces cuando ya estaba bien oscuro le dijo que pusiera la escalera justo debajo de la ventana. Ahí ella colocó la escalera al milímetro. Para que él pudiera subirse y saltar adentro. Llegó la hora de cenar, ellas también fueron a darse un baño. Ahí cuando se hicieron más o menos las diez ellos llegaron. Ahí el viejo marido de la vieja era la hora en que volvía del pueblo, a su casota. Se estaban subiendo por la escalera cuando oyeron al viejo a caballo tacatán-tacatán-tacatán, y saltaron abajo otra vez, escondidos contra las plantas, "Esperemos un rato". Pero ya no aguantaban más, pasaban los minutos, "Puta carajo, yo no aguanto más". Y ella ansiosa esperando con la ventana abierta. Pero el viejo entró con las botas puestas, y el piso de la casa era de mosaico y hacía un ruido bárbaro. Ahí estaba la ventana abierta, saltaron adentro, se quedaron hasta las cinco de la mañana. Él con una, el negrito con la otra, se les había puesto la piel de gallina de tantas ganas.

—...

Puta que lo parió, qué confusión fue aquélla, pero ella no aguantaba y él como principiante se demoraba, en vez de arremeter y basta, iba despacio y esas cosas, mucho peor, jugueteando, pero la hacía volver loca a ella, y así pasó toda la noche.

—...

Entre las piernas se lo colocaba en la boquita que tenía cerrada, y empujaba. Entonces cada día ella recibía un picotazo ¿no? Ahí ella, que sí que no, hasta que un día a él lo agarró nervioso, forcejeó con alma y vida y reventó todo. Y en seguida se volvió a la casa de él. Y todo el mundo en paz.

—...

La mujer tiene mucha vuelta, lo mejor es no hacerle caso, y para adentro nomás.

—No sé cuándo creerte y cuándo no.

Sí que le entró, de ahí en adelante entró todo bien. Ese día que él la iba a abrir ella dijo así, "¡Ay, yo tengo que aguantar!" Y le ordenó a él que avanzara nomás con todo lo que tenía. Cada día él forzaba un poquito pero ese día pasó al otro lado y él sintió cuando pasó, ella pegó un grito. Ella dijo, "La puta que lo parió, ya está". Ahí él también se lastimó ese día, le dio un tiempo de cuatro o cinco días para mejorar, después siguió pa-pa-pa, pero ella era estrecha que daba miedo, fuera de serie. Él a ella la ponía de todas las formas, boca arriba, boca abajo, en cualquier posición se la montaba. Ella no se quejaba, nunca, como fuera a ella le gustaba, al borde de la cama, en el suelo, parados, el asunto era jinetear. Él todas las tardes se iba a entrenar en el pueblo a la cancha de fútbol, después se bañaba, cenaba en la casa de la Olga, cruzaba la calle y noviaba hasta que se cansaba con la María da Gloria.

—¿Por qué te daban de comer gratis en la casa de la Olga? Quiero saber la verdad.

Él era un buen hijo. Todas las noches la acompañaba a la madre de él de vuelta a la chacra. Todos decían lo mismo, "El Josemar es muy buen hijo". La madre de la Olga, la Olga, todos. Y después él atravesaba otra vez el cañaveral, las plantas de mango y en el camino se la encontró a la Azucena, la escalera no estaba puesta. Ella sabía que en el pueblo él se había encontrado con la María da Gloria, en esa época no se la montaba a la María da Gloria, se la montaba a ella. Pero él venía lleno de bronca por muchas cosas y la Azucena empezó a darse cuenta, "Carajo estás viniendo rabioso para descargarte conmigo". Y él, "Sí que te lo descargo todo", porque él le llenaba bien la copa, "no te hagas problemas que yo sé cuál de las dos se la pasa mejor, porque la otra no está participando de este festival que la señorita sí; la otra ni siquiera conoce este palote de amasar que es todo tuyo". Ahí ella se quedaba tranquila y aceptaba todo pero tenía aquella espina de que él andaba con la otra, el asunto era ser ella sola y la otra también ser ella sola. Si había baile en las chacras él le decía a la Azucena, "Atención, me vas a esperar en el baile tal, yo voy al pueblo primero, después vuelvo al baile de la chacras", "No, Josemar, vas a venir directamente al baile". Y él pegaba media vuelta y se iba sin contestarle nada. Y ella, "Te espero en el baile, mi amor". Porque sabía que después la vencedora era ella.

—Pronto me voy a curar, para volver a los bailes.

No, él no lo cree, y aquella vez él le dijo a la María da Gloria que él era hombre y tenía que seguir contándole mentiras a la Azucena, diciéndole que la quería. Él la invitó a la María da Gloria a dar un paseo por el campo, de noche, sin que los padres lo supieran. Ella dijo que no le gustaba porque de noche en el campo no se veían los pajaritos, ni las flores que crecen solas sin que las planten. Él le dijo entonces que a la noche no se veían esas cosas pero que mirase la luna y la nubes que eran muy bonitas, y las estrellas, "Hay que aprender y acordarse de salir a mirarlas, y así se te va a pasar la tristeza".

—Yo nunca estoy triste, mi mamá es muy buena, mi papá es muy bueno, mi casa es una de las más lindas del pueblo.

Y él le decía, "Pero yo estoy triste; si no me das lo que te pido voy a pasar esta noche por la casa de esa vieja tan buena que dejó entrar a quedarse a la Azucena; y me voy a subir la escalera y si la Azucena tiene un hijo mío me voy a tener que casar con ella". Él le siguió deciendo que si se casaba con la

Azucena la iba a llevar a vivir a la chacra de él, la madre de él vive en una casa y al fondo tiene otra ¿verdad? es un galpón, una pieza sola, muy modesta, con ese techo de teja diferente, del tiempo antiguo ¿no? Y entre medio muchos bananeros, y una planta de naranjas que ahora creció y tapa todo, y está dando naranjas. Él le dijo a la María da Gloria que si no le daba aquello él tenía que seguir viendo a la Azucena. La Gloria había cumplido catorce años y de noche la tenían muy vigilada, "Mañana domingo a la tarde le digo a mi mamá que voy a estudiar con mi amiga que vive más lejos y me voy hasta la chacra tuya". Y él le dijo que un domingo no, porque estaba la madre de él todo el día en la chacra.

—Tiene que ser mañana domingo, porque no aguanto más.

Él la esperó a mitad de camino, donde no los podía ver nadie, se metieron entre los matorrales y entraron a la chacra por la parte de atrás. Se metieron en el galpón, él tenía preparada una cama limpia, toda blanca. Ella estaba temblando porque iba a ser la primera vez. Él le abrió el vestido y le empezó a chupar los pechitos ya reventones. Ella le dijo que era una lástima que no era de noche, para que mirasen las nubes y la luna, que eran muy bonitas, y las estrellas, así a él se le pasaba la tristeza. Él le contestó que no estaba triste, porque era el día más feliz de su vida, el día de su casamiento. Y ella entonces le dijo que no perdieran más tiempo, que quería ser la esposa de él, así no los separaban más. Y él le dijo que la iba a abrir toda, ya, así el padre de ella no lo podía echar a la calle por ser pobre y sin instrucción. Sí, porque el enemigo de ellos era el padre de ella, la madre de ella los quería.

—¿Pero quién está ahí? ¿quién abrió la puerta? ¿quién entró como una furia y te está gritando? ¿quién te sacude y te da esas bofetadas tan fuertes? ¿quién te está arruinando para siempre la vida?

La planta de naranjas no estaba crecida todavía y se veía el galpón del fondo, desde la cocina de la chacra. La madre vio que alguien había entrado, unos ladrones pensó, y se vino con una escoba a espantar a quien fuera, "¿Qué lío estás queriendo armar acá? ¡y con la hija de otros! ¡ay, mocoso, mucho cuidado!" Y todas esas otras cosas que se dicen. Y él, "No, señora, no me pegue así, ¡que ni siquiera alcancé a desvestirla del todo! ¿no ve que no hubo tiempo de que pasara nada?" Porque con la madre de él había un problema muy serio, ¿verdad? ella quería que todo estuviera correcto, ¿no? y él se dio cuenta de que... ¿de qué se dio cuenta él? de que la vieja era capaz de ir a contarle a la madre de la Gloria. Si la volvía a traer al galpón.

—Cuando llegues a tu casa, no le digas a tu mamá que te hizo un mal, porque ahora está muy enferma. Pero te hizo un mal que jamás va a tener remedio.

Él hace tiempo que no sabe nada de la Gloria, lo único que pide es que Dios la proteja. O que si se cura no se olvide de él.

—Tu mamá también está enferma, no le reproches nada ¿para qué serviría? al llegar dale el bife y te lo va a preparar con un poco de arroz.

Capítulo VI

—¿Por qué está la casa tan sucia? nadie lavó los platos de la cena de anoche. Hoy cuando entraste cansado de trabajar todo el día viste la cama sin hacer.

Él volvió del trabajo a las nueve de la noche, puto Río, tan lejos de la casa de él, se durmió todo el viaje en el ómnibus. Porque no hay nada nuevo para ver, carajo. Uno de estos días le van a robar la billetera, y se va a quedar sin documentos, sin moneda ya lo dejó la vieja. Se fue a la chacra, está enferma, dieciséis horas de viaje en el ómnibus más barato pero llegó viva, él pidió a Dios que aguantase el viaje y si no llegaba viva alguien le habría mandado telegrama. En la chacra la hija mayor la va a cuidar hasta que se cure ¿está claro? así se salva de la operación. De la última operación de ella él no se recuperó del todo, ya tuvo muchas caídas financieras, quedó sin capital de giro ¿no? Él nunca se acercó a ella y le dijo, "Mamá, me quedé sin un centavo". Por lo siguiente: porque ella es muy buena y podría decir, "Hijo mío, podrías haberme dejado morir, así no te quedabas sin dinero ¿verdad?" A él le quedaba nada más que lo que había juntado para comprarse el automóvil, finalmente iba a tener un automóvil en su vida, "Hijito ¿te queda más dinero, para vivir sin problemas?" Y él, "Sí que me queda". A él ahora le queda ese techo que tiene ahí, y nada más, en la casita de Santísimo.

—¿Cómo es Santísimo? yo nunca estuve, el nombre es lindo, un santo que protege de todos los peligros. Pero no te protege nada.

Hay cerros, y selvas, afuera, y adentro de Santísimo hay supermercados, los negocios tienen mucho progreso, crecen de un día para otro. Y una terminal de ómnibus linda, toda moderna ¿verdad? de donde sale cada ómnibus para otros estados, otros lugares totalmente diferentes. Todo electrónico ¿no? funciona todo automáticamente. Y las otras construcciones no son viejas, nada de eso. Nuevas, y se están volviendo más nuevas, porque a las que eran viejas las están demoliendo, y en un cerro la antena nueva de televisión. Casas lindas de techo de tejas, y a algunas pocas nunca las van a derrumbar, él pasó y vio una que en el frente decía 1910 y a esa nunca la van a sacar porque es antigua, construcciones muy fuertes ¿está claro? porque en esa época el cemento no costaba nada, lo sacaban ahí de la piedra de la montaña, que hoy en día cuesta quinientos cruzeiros la bolsa. Y en la parte donde se terminan las casas están las otras más modestas, y hace años el padre de él se fue del campo porque la chacra ya no daba nada, para trabajar de estibador en el puerto. Compró un terreno a plazos y con el hijo levantaron una casa de una sola habitación, y la cocina, y después el baño y después otra pieza más. Pero el padre se quiso volver al campo y la madre y él se quedaron para siempre ahí. ¿Por qué el santo no lo protege?

—Si llueve a la noche, está el techo que no deja pasar la lluvia.

A él le queda ese techo, pero si la madre tiene que volver a operarse lo único que le queda para vender es esa casita. Si ella precisa los billetes él no va a poder decir que no la venda ¿verdad?

—¿Por qué no te gusta que te espíen de la casa de enfrente? ¿por qué todas las noches te dan de cenar ahí, en la casa de la Olga? ¿por qué te dejan entrar, si cuando te das vuelta te llaman el chacarero?

Hoy viernes a la noche debe haber baile en las chacras, a él se le hizo tarde, de la casa de la Gloria había ido a la casa de una amiga de ella y otra vez a la casa de la Gloria, donde él tenía libertad amplia, era muy considerado en aquel establecimiento, en aquella propiedad, como se dice. Ahí ella lo tenía prendido normalmente hasta tarde, y él una noche cuando pudo se fue al baile de la chacra con el Rogerio, él se acuerda como si fuera hoy, un amigo que también tenía novia bien cerca de la casa de la Gloria, entonces fijaron los dos la hora exacta para ir al baile, entonces el otro llegó primero, puntual, y se quedó esperándolo, los dos en bicicleta pero en lo oscuro porque no tenían farol. Ahí cuando iban por la mitad, él todo de ropa blanca a todo lo que da en bicicleta a la cabeza de los dos, había un buey en el medio del camino, "¡Dios me libre y me guarde!" Pero él no pudo frenar a tiempo y atropelló el buey y le pasó por encima, ahí el otro tipo viene y choca también contra el buey, y quiebra el manubrio de la bicicleta. Carajo, fue increíble, ahí dejaron la bicicleta escondida detrás de unos matorrales. El Rogerio se subió al caño de la bicicleta de él y siguieron para el baile, pero llegaron todos sucios, con la frente lastimada, y raspones por todas partes, los codos y los brazos ¿verdad? increíble, pero adelante nomás, el baile estaba bueno, música de acordeón y mucho para llenar el buche. Un poco de tiempo después el Rogerio destapó la cueva de la cobra y se murió. Pero ahí esa noche ellas estaban todas preocupadas, que el otro también tenía novia de repuesto por las chacras. Ahí él llegó así en aquella oscuridad al borde de la pista, miró y la Azucena estaba recostada así contra una planta de jaca, media triste. Ahí él llegó así, la agarró por atrás y le dio un besote que fue una bomba que explota ¡chuic! ahí ella dijo, "¡Pero mi Dios, qué modo de atrasarte! ya sirvieron un chop de cerveza, ya sirvieron torta, no sé qué otra cosa, carne asada". Ahí él dijo, "No importa, yo sé qué es lo que me toca, y está bien guardado". Y ahí al decir eso le dio una palmada en lo más gordo del culo de ella ¿no? Y ella seguía enojada, y él le dijo, "No me guardaste cerveza de la que repartieron ¿verdad? y tampoco me guardaste torta, entonces algo me vas a tener que dar. Y es eso lo que vine a buscar, no la puta cerveza ni la puta torta ¿entendiste?" Ahí ella dijo, "¡Carajo, qué caradura de tipo!" Se quejó, habló un poco demás, ahí después todo se arregló, salieron a bailar ¿está claro? samba, bolero, vals. Ella tenía muchas músicas que eran sus favoritas, pero de los nombres él no se acuerda, de ninguna música él graba el nombre. También a la Azucena le gustaba Roberto Carlos, cuando empezaba de cantante. Él se acuerda de una de las músicas esas, la que decía que la hojas se caen, pero que vuelven a crecer. Esa también le gustaba a la Gloria, a las dos les gustaba Roberto Carlos, lo adoraban de verdad. Vino dos veces a cantar al baile del pueblo, y fue el fin del mundo, las dos fueron a oírlo, ahí él no conseguía que ninguna de las dos se quedasen hablando con él, iba y le daba un beso a una y le daba un beso a la otra, se quedaba dando vueltas por el baile, toda la noche hasta que al fin pasaba lo de siempre. Dejaba a la Gloria, la acompañaba hasta la casa, y volvía a las chacras con la Azucena. Iba con ella caminando, por el camino de siempre, donde dejó la bicicleta aquella vez el muchacho aquel que chocó también con el buey, el Rogerio, que después se murió.

—¿Siempre te estás acordando del Rogerio?

No, él hace mucho que no se acordaba del Rogerio. Cuando alguien se muere la gente se olvida, nadie se acuerda más. Iba él con la Azucena por el camino que va a las chacras, no era el Rogerio el que iba con la Azucena, aunque en aquella época todavía estaba vivo, era él, el Josemar, ¿no se acuerdan todos de él? él está vivo ahora, el Josemar, todos se acuerdan de él ¿no? Iban por aquel camino, se paraban a descansar, la buena vida, si no era con una era con la otra, y también tenía otras, le brotaban siempre las mujeres, entonces aquello era lo siguiente: parecía que él era el sheriff, lleno de oro en el banco del pueblo, pero no era así, es que las mujeres se le venían encima. Toda aquella muchachada sí bien llena de oro, con automóvil bien grande, no conseguían lo que él conseguía. Aquellos hijos de papá ¿verdad? hijos de gente millonaria, todos le preguntaban, "¡Eh, Josemar! ¿cómo hay que hacer para tener tantas mujeres? Nosotros no conseguimos nada". Él decía, "Al carajo, no me pregunten eso porque no sé cómo se hace, y para qué joder, es problema mío ¿quieren que les dé lecciones?" Y ahí lo que hacía era reírse de ellos, mientras les prometía abrirles los ojos, pero para eso no servían ¿verdad?

—...

Para él eran épocas buenas, lo que necesita ahora es resolver sus problemas, él quiere este año resolver todos sus problemas para vivir un poco más la vida, porque últimamente no ha vivido nada. Carajo, el problema del trabajo por un lado, y encima la enfermedad de la madre, está bien jodido. Ahí no tiene tiempo, no tiene manera, no le da el tiempo para olvidarse y dedicar algún rato al sexo ¿está claro? un tipo para gozar de la parte sexual tiene que olvidarse de todo ¿no? Decir así: no se le debe dinero a nadie, y no hay problema con nadie. Ahí ya la cosa se pone buena, ahí que se jodan si no trabaja un día, o dos, todo en orden. No se tiene que romper la cabeza ¿verdad? Sin la vieja a él no le gusta estar en la casa solo.

—...

Hay veces que la Gloria no piensa en él. Ratos largos. Debe ser cuando está durmiendo. Ojalá descanse, con un sueño bien tranquilo. Pero al despertarse se va a acordar ¿no? Porque ella estaba llena de salud, fuerte ¿verdad? una rubiota del carajo. No tenía por qué enfermarse, y quedar mal de los nervios. La familia de ella no era así. Ese último verano hacía calor bien fuerte, apretaba a fondo, y él se la pasaba con la María da Gloria debajo del árbol de mangos. Ella de pantaloncito corto, bien cortito, con la mitad de los cachetones afuera, él se quedaba medio atontado, no podía ver aquello que se volvía loco ¿está claro? entonces se apoyaba en el árbol, horas charlando, se subía a las ramas, ella se subía también, ella se trepaba hasta arriba de todo para arrancar mangos, él se quedaba mirándole los cachetones, todo ese tipo de juegos. Y tenía varias mujeres más, que le daban aquello. La Gloria no, ya estaban en las finales, él preparaba todo para irse del pueblo, él se acuerda de aquellas veces que salían, ella estaba ya diferente, se empezaba a desesperar, estaba realmente perdiendo el control, ya no era la de antes, estaba esperando, previendo que algo podía suceder. Entonces, a partir de ese momento, él ya sintió que algo malo podía suceder. Ahí él se alejó bien de repente, como esas gotas de agua al chocar contra las brasas del fuego. Y lo que él hizo fue cocinarla a fuego lento, al baño maría, preparándola bien, para dejarla.

—...

¿Cómo fue que la preparó? fue lo siguiente: en esa época se encontraban todos los días, aquello era un compromiso segurísimo. Era normalmente de las ocho de la noche hasta la once, doce de la noche, entonces él empezó a ir dos veces por semana, y el fin de semana se quedaba menos tiempo, fue disminuyendo las horas que pasaban juntos. Él le decía así, "Mañana estoy aquí a tal hora". Y a esa hora no llegaba, llegaba una hora, o dos o tres más tarde. Y se iba antes de lo que estaba acostumbrado a quedarse. Estaba cerca la hora de irse del pueblo y ella le tenía que dar aquello antes de irse.

—...

Ella le decía, "Anoche no viniste y esta mañana me desquité con las plantas, no las regué, todo por culpa tuya; se va a poner feo el jardín, vas a ver". Y allá existe la fiesta del arroz, al principio del invierno, ahí se juntan miles de personas ¿no? en aquel pueblo. Ahí en esa fecha se iban a encontrar las tres, la Gloria, la Azucena y una maestra que también daba aquello. Y la amiga de la Gloria, que no se cuenta, cuatro mujeres en busca de él, en aquel pueblo chico. Entonces él tenía que desaparecer, a veces se iba al bar, donde había billares. Horas y horas jugando al billar y ella rondando, para acá y para allá, buscándolo. Por eso él llamó a un amigo, "Te desafío a un partido de billar, vamos a jugar que estoy con un problema y tal y tal". Ahí se metía y se quedaba jugando horas, pla-pla-pla. Daban las ocho de la noche, las nueve, las diez, y la fiesta del arroz seguía ¿verdad? La Gloria, como era muy inteligente, salió a buscarlo, de bar en bar ¿adónde era que se había metido? Porque siempre que ella preguntaba él decía, "Estuve jugando al billar". Y cosas por el estilo. Ahí ella lo descubrió más o menos a las diez y media. Lo vio, lo mandó a llamar allá adentro del bar. Ahí él le mandó a decir, "De ninguna manera porque estoy jugando un partido con apuesta de dinero y todo eso, no te puedo atender ahora ¿entendiste? mejor es que sigas entreteniéndote con tu mamá, paseando, que después voy yo, hasta luego". Ahí ella que esto y que lo otro, no se conformó, dio unas vueltas más, él no apareció, ella fue a buscarlo. Entró hasta el fondo, "¡Ah, estás escondido por todas esas mujeres que andan paseando por ahí! sé que hay un montón de tipas sin ninguna vergüenza que andan diciendo que no sé qué, que soy tu novia y que me van a pegar, y todo ese tipo de cosas". Ahí él le dijo, "No te van a pegar nada, nada de eso, no seas boba ¿entendiste? son todas amigas entre ustedes". Ahí él terminó con su jueguito y salió con ella. Pero la cuestión de ella era quedarse en la calle para que las otras la vieran con él ¿está claro? Ahí él se dijo a él mismo, "Me cago en su puta madre, esto no va a resultar, porque las otras se lo van a tomar mal y voy a perder a todas esas hembras ¿me voy a quedar con una sola?" Entonces se quedó luchando para llevársela directamente a la casa. Le dijo, "Ay mi amor, no me estoy sintiendo bien, me tengo que ir, vamos derecho a tu casa ¿está bien?" Ella contestó, "Está bien". Pero después no quería moverse de la puerta del bar. Ahí él la agarró del brazo y le dijo, "Vamos de una vez". Ahí fueron para la casa de ella, llegaron, ella toda seria, que él se estaba escondiendo de ella. Ahí generalmente la madre entraba en la sala y dijo, "Hoy están hablando mucho". Porque generalmente los dos no hablaban mucho ¿verdad? La cuestión era mucho trueque, de besitos, de caricias, quedarse uno pasándole la mano suave al otro, casi que no conversaban, la cuestión era más mano para acá y mano para allá, y abrazos de aquellos especiales, todo ese tipo de cosas ¿está claro? entonces era que llegaban esos troncos de lengua hasta la garganta, que eran de no poderse creer. Cuando una hembrita besa bien, le larga un buen lengüetazo al tipo, y el tipo queda medio enloquecido, o del todo.

—...

¿Dónde habrá ido a parar la Azucena? él le desearía que estuviera bien, soltera o casada, de la manera que fuese, pero bien feliz, como ella era con él antes. Antes de que él se fuera del pueblo, antes de que pasase tanto tiempo, antes de que la madre de él se enfermase, y que estos platos grasientos estuviesen ahí taponeando la pileta de la cocina. Y antes de que él echara al mundo esos dos hijos que la María da Gloria nunca vio.

—¿Dónde están tus hijos?

Ella se lo creyó, una mentira de él, una broma que pensaba hacerle un día, para ver si se lo creía, pero también podía ser para ayudarla a sentirse mejor de la enfermedad, la Gloria un día veía pasar un muchachito de cuatro años, o uno de seis, los dos iguales a él, y eso la iba a ayudar a esperar un tiempo más hasta verlo a él de cuerpo entero.

—¿Es verdad?

Uno tiene cuatro años, el más rebelde, el otro

tiene seis.

—¿Quién es la madre?

Él no tuvo un hijo, una mujer tuvo un hijo de él. Él lo quiere de verdad ¿está claro? en Santísimo. Inclusive son dos, no es un hijo solo. Uno con una mujer y otro con otra.

—¿Se te parecen?

Son fuera de serie, desconfiados, rebeldes, pero él no vive con ellos ¿verdad? vive completamente separado, no hay ninguna ligazón, pero andan por ahí juntos cuando se da el caso, sin problemas. Se parecen entre ellos. De madres diferentes pero salieron a él. Él los quiere mucho, con toda el alma, siente no poder darles un apoyo que sea total. Es por eso que él anda siempre diciendo que la vida es más complicada que el carajo.

—¿Te quieren?

A él le dicen papá. No, ellos no están ahora con otro hombre, con un padrastro. Es lo siguiente: la mujer que tiene algo que ver con él queda siempre queriéndolo mucho, y se queda en esa expectativa. Esperando que él vuelva. Pero él no vuelve nunca. Él aparece, y vuelve a desaparecer.

—¿Ellas te siguen esperando?

Él piensa lo siguiente: sus hijos, querría que fuesen jugadores de fútbol ¿no? Todo lo posible haría para enseñarles a los hijos a ser jugadores de fútbol, es lo que está dando dinero, o si no estudiar y todo eso. Pero hasta la época que crezcan ¿quién va aguantar pagarles los estudios? que es carísimo ¿verdad? Entonces, él si pudiese ya les pagaba una escuela particular, pero no puede ¿cómo va a pagar? el bolsillo no da, ni tiene para comprarles ropa. Al más chico le va a pagar la escuela particular. Es que él los quiere una barbaridad, no les saca la vista de encima desde que nacieron hasta ahora. Un padre generalmente le desea todo lo mejor a un hijo, que sea un hijo bien educado, bien instruido, una criatura cariñosa ¿está claro? Y así son. Ni bien lo ven corren y lo agarran, lo besan, cuando pasan con la madre de lejos, "¡Ah, mi papá está ahí!" Y ese tipo de cosas, "¡Voy a darle un beso!" Y van corriendo, lo abrazan, lo besan, después siguen caminando, se van, sin problema. Al barrio de ellos, lejos de la casa de él porque Santísimo es un pueblo muy grande. Pero a veces también se aparecen allá por la casa de él, sin problemas. Ella a veces también cae por allá, él no anda a las patadas con ella ¿verdad? cambian ideas, charlan un rato. Lo único es que relaciones ya no tienen más.

—¿No eran dos las mujeres?

Él nunca vivió con ella. La iba a ver, salían por ahí. Ella es maestra de la escuela municipal, antes tenía automóvil, andaba por ahí y lo llamaba para salir, entonces está bien, él se dejaba invitar, "Me dejo llevar para donde quieras, sin problemas". Lo invitaba a salir, ir a la playa. Él comía camarones y ella pagaba, después se iban y se la montaba en el automóvil, la cosa era pasarla bien ¿y qué hay de malo en eso?

—...

La otra también. Lo mismo, las dos igual, eran amigas entre ellas. Una se lo presentó a la otra. La amiga gustó de él, ahí quedó con las dos al mismo tiempo. Salía con la una, salía con la otra, porque ninguna de las dos sabía, que él salía con la otra. Las dos maestras. Ahí siguieron saliendo, y quedaron panzonas. Ellas saben arreglárselas, no hay problemas, así quedó el asunto. Nacieron dos criaturas. Él a veces lleva la foto en la billetera. Dos machos, machos como el padre. Tiene una foto del día del cumpleaños, él siempre participa de ese día. Hace poco fue el cumpleaños de él. Año malo, no recibió nada, carajo, todavía está esperando, todavía algo puede caer de alguna parte. Lo que no le gustaría es que los hijos se casasen, de aquí a veinte años, quién sabe lo que puede suceder en el mundo, mejor que estén solos, sin problemas.

—...

Él sabía que la cosa era esperar, un día la María da Gloria le iba a dar aquello. La empezó a toquetear, a los quince días de estar noviando, "¿Y ese plato cuándo me lo vas a servir?" Ahí ella no entendía, "Tengo cuerpo de señorita pero no cumplí todavía los trece años". Pero él le empezó a acortar la rienda.

—...

Hacía más de un año que estaban de novios, aquel día que ella se largó a llorar. Él le dijo, "Te voy a dejar porque no hay caso de que me des libertad total. Como pasarte la mano por tu lindo cuerpo". Ahí ella se quedó mirándolo y él le dijo, "¡Rápido, no te pierdas ese camaleón, cómo sube por la pared! ¡qué camaleón más bonito!" Entonces ella se dio vuelta para mirar y él la agarró de atrás y le puso la mano bien encima de aquella bocucha gordota que ella tenía entre las piernas. Se dio un buen susto, "¡¿Qué es eso?! no se puede hacer..." Y ahí la empezó a besar, morder, chupar, y con el dedo siempre trabajando en aquel nidito. Y así fue él pa-pa-pa, le fue apretando las tuercas una por una. Y ahí cuando fueron cuatro o cinco meses que habían pasado, siempre dándole al dedo, alisándole el peinadito aquel, le agarró la mano un día y se la puso encima de él. Ella la dejaba un poquito y la sacaba rapidito. Y fue pasando el tiempo, ahí generalmente cuando él estaba con el dedo allá ¿no? ahí le agarraba la mano de ella y se la ponía donde se debe, para irla acostumbrando. Hasta que un día ella puso la mano ahí y no la sacó.

—¿Yo puse la mano sola?

No, él le agarraba la mano y se la hacía colocar ahí, y le decía, "Ahí mismo, no saques esa linda mano, hasta que aprenda a apretar". Hasta que ella se fue acostumbrando, cada día la dejaba más tiempo. Un día le pasaba la mano diez minutos, otro quince, y después se lo acariciaba una hora, dos, tres, cuatro ¿verdad? y así se fue volviendo loquita de ganas, cada vez que se encontraban él le hacía el mismo cariño, y ella a él, hasta hacerla sentir bien a gusto, ella le llenaba de miel el dedito. Y a veces él se tenía que cuidar porque ella le clavaba las uñas, de tantas ganas que tenía. Y eso era con el dedo nomás, y un dedo no es lo mismo que aquello, un dedo gusta, pero aquello llena y compacta. Y así fue pasando el tiempo, hasta que le gustó demasiado. Ahí él le dijo, "Ahora falta una cosa sola". Ella le dijo que eso no sabía cómo se hacía. Y él le dijo que ella podía ponerse para arriba, o para abajo, como ella quisiera, sin el menor problema. Y ella, "Pero va a doler mucho". Y él, "¡Carajo, qué va a doler! todas lo hacen y a ninguna le duele". Y ella, "¡Caramba, la cosa no es tan fácil!" Y que esto y que lo otro. Y él, "De acuerdo, un día de estos vas a aceptar". Y ella fue avanzando y le dijo un día, "Acepto para que lo hagamos tal día a tal y tal hora, el asunto completo". Pero llegó la hora y ella no se dejó. Dijo que no. Ahí él desapareció de la casa de ella tres días o cuatro, una semana. Y ella se quedó pensando, se volvía loca cuando no lo veía, salía por ahí y él se escondía de ella, ese tipo de cosas. Hasta que él volvió, dejó pasar de un domingo para otro sin ir. Ahí cuando llegó el domingo se apareció por la casa de ella, a eso de las ocho de la noche. Ahí, en fin, no hubo problemas, ella vino, "¡Eh, desapareciste!" Y no se sabe cuántas cosas más, lo besó, todo eso, "¿Por qué pasaste tantos días sin verme, no me extrañabas?" Y él, "Sí que te extrañaba pero sucede que no quisiste seguir mi juego aquel día y cosas por el estilo, no quisiste aceptar mi propuesta". Entonces él dejó pasar varios días, como un mes, quietito, serio, sin hablar más de aquello. Y ahí después cambió, empezó a toquetear de nuevo, a sacar la misma conversación, "¿Cuándo es que va ser? estoy esperando". Ella lo enredaba, trataba de enredarlo, "Estás jugando conmigo, me estás haciendo un juego muy bravo, no me está gustando nada", y cosas por el estilo, "Pero no te intranquilices que un día lo vamos a hacer, lo que necesito es una garantía ¿vamos a casarnos después?" Y él, "Sí que nos vamos a casar, yo me quiero casar, te quiero de verdad". Y ella, "Pero entonces para hacer eso nos tendremos que casar antes del tiempo previsto". Entonces fue que él aprovechó para llenarla de esperanzas ¿verdad? "Claro que sí, que nos vamos a casar, urgentemente, tal vez éste sea un paso para que nuestro casamiento se haga más rápido", él le decía a ella. Y ella le decía, "No es posible". Ahí entonces fijaron una cita y ella apareció. Era en el campo, allá en un lugar especial donde había unos árboles, pero no, ahí tirada en el suelo no era posible, no, ella era una muchachita de clase, no era para tirarla al suelo, entonces ahí ¡carajo! sin un centavo, a escondidas, sin poder llevarla a un hotel, ni nada, entonces se volvieron para atrás, él pensó en ese galpón de la madre, el galpón aquel detrás, y a escondidas de la madre empezó a preparar todo para cuando llegara el día. Le dijo a la Gloria, "Detrás de mi casa hay un galpón y ahí no nos va a ver nadie". De noche él empezó a arreglar todo, pasaron un tiempo haciendo planes, él consiguió un colchón, un colchón viejo, le dijo, "¡Mamá, usted tiene que tirar a la mierda ese colchón viejo!" Y ella, "Es cierto, entonces vamos a ver si compramos uno nuevo para tirar ese otro". Y él, "Tire ese colchón que no sirve más, está todo viejo, agujereado". Y ella, "¿Adónde voy a tirarlo, hijito? ¿detrás de la casita vieja?" Porque ella le decía así al galpón, "Usted lo puede dejar ahí mismo que yo me encargo, lo voy a poner detrás del galpón ¿sabe?", y ahí después cuando ella se distrajo a eso de las siete de la noche él entró al galpón y armó la cama perfecta, ya había robado allá una colcha de la hermana, fue a la casa de la hermana y agarró una colcha, "¿Pero qué estás haciendo?" Y él, "Nada, es que me voy a tapar la cara para que nadie me conozca y darle un susto a un tipo que me hizo una mala pasada". Y la hermana, "Atención que el tipo puede estar armado y te pega un tiro si no te reconoce", "¡Nada de tiro, qué me va a pegar un tiro, es todo en broma!" Ahí ella le pasó la colcha, "Está media vieja, ya no la estoy necesitando más". Entonces fue él para allá a buscarla a la Gloria y fueron caminando, mirando la luna y las estrellas que ahora no solamente le gustaban a él porque a ella también y cuando estaban por llegar ella se quiso volver, y él, "¡Carajo, si te vas yo te mato!" Con una rabia de la gran puta. Pero él ya le había dicho a la madre de ella que iban a llegar un poco tarde porque iban a ir con unas amigas a un lugar tal y tal, "De acuerdo, mi hija es tuya, pero no es tan tuya tampoco, los dejo que salgan un poco y cosas por el estilo, pero no es para que hagan lo que quieran, todavía no es tuya de verdad". Pero bromeando siempre decía eso, la madre. Ahí por fin se fueron. La Gloria nunca había llegado hasta ahí, no conocía la casa y entraron por la puerta del fondo del galpón, la otra puerta se veía desde la ventana de la cocina, y los hermanos varones ya sabían todo ¿verdad? los tipos hablaban entre ellos, "Vamos allá a escuchar todo". Los hijos de puta venían y se quedaban escuchando, él les había dicho que ese día se iba a oír un barullo del carajo, porque era la primera vez que alguien se montaba a la Gloria, pero él cerró bien la puerta rapidito, y las ventanas. Se quedaron afuera sin oír nada, los carajos. Él acortó la rienda en seguida, así ella no tenía más tiempo de arrepentirse, lo que ella empezó a sentir fue mucho frío, como la Azucena la primera vez. Lloraba de dolor, y temblaba, se le puso la piel de gallina, y cuando le empezó ese frío a aumentar y ya a hacerla temblar y ponerse pálida era porque le estaba viniendo el goce final, como a la Azucena, gritaba, hacía un barullo bárbaro, lloraba, "¡Ay, ay, Díos mío! ¡ay cómo te adoro!" Y el dolor, dolía que se moría.

—Me habías dicho que la primera vez había sido en un hotel ¿por qué tantas mentiras? ¿o no es que había sido tirados en el pasto, en el campo mismo, la primera vez?

No, en un hotel la veía la gente entrar. No, nada de eso. Pero dolía que se moría, aunque entre el dolor y el placer ¿con cuál de los dos se quedaba ella? Algo fuera de serie, entre el dolor y el placer se decidió por seguir sintiendo el placer.

—Por más que trato de acordarme de ese dolor, no puedo. De veras, no puedo.

Pobre la Gloria, no quedó bien de la cabeza. Es que ella se imagina las cosas, a ella le dan ataques, se siente mal y grita, pero no como en aquel día, aquel día gritaba porque él le hacía doler, le dolía que se moría.

—Después que te fuiste yo quería volver a sentir ese dolor, para acordarme, ¿o es que nunca lo había sentido?

La madre de ella se lo contó a él, que la Gloria un día se clavó las uñas en el pecho, sobre el corazón mismo, para sentir dolor, hasta que le salió sangre. Pero entonces la madre fue corriendo, agarró la tijera y le cortó las uñas. Nunca se había clavado las uñas ella misma, porque al principio, cuando empezó a extrañarlo tanto, le clavaba las uñas a la pared, creyendo que era él.

SEGUNDA PARTE

Capítulo VII

–Te pido que jures decirme la verdad.

Él le va a contar toda la verdad a la Gloria, de lo que pasó antes y después de la enfermedad de ella.

–Te pido que me lo jures por la vida de tu mamá.

A la Gloria le va a hacer bien saber toda la verdad, si él se lo va diciendo todo con buen modo, seguro que la va a hacer sentir mejor. Él jura decirle toda la verdad, se lo jura por la vida de su santa madre, hoy sábado a la tarde, en el bolsillo un montón de cruzeiros, le van a alcanzar para pagar el ómnibus del lunes y un paquete de cigarrillos, y en la cuenta del banco tiene mucho, su honradez y basta, qué carajo. La madre de los hijos de él le dijo esta mañana que él era un hombre sin palabra ¡hija de puta! eso le dijo, que él nunca le había hecho frente a la verdad de las cosas de la vida, "Josemar: la verdad a veces duele pero hay que hacerle frente ¿si no qué hombre es ése? ¡un cagón! ¿qué clase de hombre le tiene miedo a la verdad? hace falta más de un par de bolas para ser hombre de veras". Habló ciega de rabia, porque se la encontró en la calle y él no le pudo dar ni un centavo.

—A mí sí me vas a decir la verdad. Yo te creo.

Por la vida de la madre de él, se lo jura. Él es hombre y no le tiene miedo a nada, si se equivocó alguna vez en la vida pide perdón y la próxima vez va a andar todo bien ¿no?

—Te escucho.

Según la madre de ella la María da Gloria lo seguía viendo, aunque él estuviera lejos ¿verdad? "Mi hija me cuenta que cada vez te ve llegar con un ramo de flores más grande, que no le cabe en los brazos".

—No, de lo que me pasó a mí no me importa, quiero saber de lo tuyo.

Es que todo empezó ese lunes a la mañana, cuando él se fue del pueblo, y no quería dormir durante el viaje para mirar todos los paisajes nuevos, pero después no se acordaba de todo lo que había visto, pensaba mucho en todo el asunto ¿no? lo de la noche antes, todo lo que habían hablado con la Gloria, y no veía todos los paisajes y cosas por el estilo, que había en el camino. Él tuvo que cambiar de ómnibus, para seguir hasta Baurú, había tres ómnibus parados, uno para Baurú, otro no se acuerda para dónde, y el otro que volvía por el mismo lado que él había venido, tomaba ese de vuelta y a la mañana estaba otra vez en Cocotá, y caminaba menos de una hora y estaba en la chacra, y la podía abrazar a la madre antes de que saliera de la casa como todas las mañanas. Él no tenía la moneda para el pasaje, por eso no se fue de vuelta. En Baurú los que terminaban de estudiar de electricista entraban a la compañía de luz eléctrica cuando había trabajo. Pero siempre había trabajo. Y de la compañía lo mandaron a la Gran Pensión Baurú. "Vas a dormir con dos más en la pieza", le dijeron en la oficina del personal, él dormía en la chacra con otro hermano atravesado en la cama con los pies para la nariz de él, hasta que creció y después dormía el negrito, que era negro pero bien corto de crecimiento y no le llegaba más que hasta el sobaco. Él no quería dormir en la misma cama con uno que no conocía, si el tipo era alto como el carajo lo que él podía hacer era dormir en el suelo si había con qué taparse ¿no? Pero había tres camas en aquella pieza, una para cada uno. Dos tipos que tenían la familia ahí bien cerca, no podían ir caminando, pero el viernes a la noche se iban en la bicicleta de cada uno. La cama de él tenía dos sábanas también, como la de los otros dos tipos. La María da Gloria si lo veía le hablaba, pero toda esa semana a la noche los tres volvían a dormir y ella si hubiese estado ahí de cuerpo presente delante de los otros dos no le habría contado nada, o hecho alguna pregunta ¿verdad? El viernes a la noche él tenía que dormir solo, y nunca había dormido solo en una pieza. Primero él se fue a cenar, en la pensión le daban el café con leche y pan a la mañana, y el almuerzo bien sabroso, qué carajo, y la cena bien buena también, pero esa noche él no tenía hambre. La madre de ella le dijo después que para la María da Gloria lo peor, cuando peor se ponía de los nervios, era el domingo a la noche, el viernes a la noche estaba contenta porque empezaba a prepararse para la visita de él, y si no venía esperaba hasta el sábado, y si no venía esperaba hasta el domingo a la noche, y ahí ya se ponía a llorar, y esas cosas. Y algunas veces sin llorar y sin nada de golpes lo mismo se desmayaba. Pero para él lo peor era el viernes a la noche, si la María da Gloria sabía que los otros dos se iban de la pieza, ella, de estar en Baurú podría haber entrado y decirle a él lo que quería, total nadie la iba a escuchar, pero él se quedaba callado y se oía el tragamonedas de la pensión nada más, si alguien le echaba una ficha. De estar en Cocotá él habría querido preguntarle a ella dónde sentía ese dolor, que la hacía desmayar. El dolor venía de adentro, le habría dicho ella, porque sentía lo mismo que él, él no entendía de esas cosas, las mujeres sí, el dolor cuando una persona extraña mucho a otra está en el corazón, "A mí me pasa igual", le habría dicho él, ese dolor que corta de adentro para afuera. Cuando ya nadie ponía un cobre en el tragamonedas de la pensión se oía un poco los que estaban jugando a las barajas ahí en el bar, y después nada más, ni un carajo. Él se acostaba y se ponía a pensar ¿no? y a la hora en que él se sacaba la ropa para dormir la ponía toda sobre una silla y él decía, "¡Suerte perra, esta ropa es toda diferente a la que ella le gustaba, que yo usara siempre!" Ella le había pedido que siempre usara alguna cosa color negro. Ellos combinaban bien en todo, hasta les gustaban las mismas cosas, los trajes, la ropa ¿no? a ella le gustaba mucho el color negro, la ropa negra.

—Es verdad.

Ahí entonces él siempre trató de descubrir por qué a ella le gustaba la ropa negra. Pero ella no le quería decir. En el silencio de la pieza, él estaba solo el viernes a la noche, el sábado a la mañana, a la tarde, a la noche, todo el domingo, si quería le podía preguntar a ella cualquier cosa de las que él ya no se acordaba, de los recuerdos de ellos dos, porque los otros dos electricistas no lo podían oír, pero él no la veía a ella porque estaba lejos. Lo que tenía era la foto, y la miraba muchas veces. Y después cerraba los ojos, para ver si se acordaba de la cara de ella sin estar mirando la foto. En el trabajo ahí subido arriba en un poste de alta tensión, esperando una vez más de una hora hasta que vinieron con los repuestos de unas tuercotas grandes, y se quiso acordar de la cara de ella y no se podía acordar ni de la cara de ella ni de la cara de la madre de ella. Porque la María da Gloria se parece a la madre, que también es alta, rubia, de ojos azules, no es flaca ¿y qué más? el cuerpo más o menos mediano ¿y las piernas? muy lindas, sin ninguna marca, sin tajos. El cuerpo de ella es todo fuera de serie, parece de molde ¿verdad? ¡él no se olvida de nada, carajo! Si ella estuviera ahí él le preguntaría cómo es él, a ver si se acuerda, cerrando los ojos, sin mirar la fotografía. "¿Cómo soy yo?", le quiere preguntar él. Porque ella si no se acuerda puede pensar que él es feo, de pelo duro, el color de la carne más oscuro, si ella ve pasar por la casa a los hermanos de él puede creerse que él es igual. A veces él se olvida de cómo es la cara de él mismo, pero se mira al espejo y ya está. Los ojos del padre de él son castaños también, él se mira de frente en el espejo, él siempre mira de frente. El padre de él mira mucho para el costado, siempre para el costado. De frente a veces, pero no siempre, nada de eso. Y mira para arriba cuando está enojado, cuando está bien nervioso se queda así mirando para arriba. Ahí entonces al mirar para arriba ya no mira para los costados, cambia completamente, se pone rojo, todo azul, se llega a poner azul de tan rojo, bien nervioso, mediano de estatura, pelo negro bien duro, dientes claritos, increíbles, hasta el día de hoy no tiene uno solo averiado. En la pieza de la Gran Pensión Baurú él no tenía espejo, salió corriendo de la pieza y se fue al baño, ya no aguantaba más en esa pieza, se metió al baño para recortarse la barba, mirándose al espejo. Y la madre mira siempre de frente, no hay ningún misterio en la mirada de ella, una mirada sencilla, modesta, de una señora fiel.

—No te olvides que juraste decir nada más que la verdad, cagón hijo de puta. A la Gloria podías decirle cualquier cosa, pero a mí no. Yo te conozco bien.

Él conoce a las personas por la mirada, y también por el modo de conversar ¿verdad? Él sabe cuando alguien dice la verdad o no, cuando dice la verdad o está planeando una mentira, o queriendo envolverlo en una treta, la mirada de la madre de él es una mirada de persona sana, una mirada sin traición. La mirada del padre es de traidor mismo, de tipo que traiciona cuantas veces sea preciso, está lleno de tretas ¿verdad? Pero la mirada de la María da Gloria es una mirada muy positiva, mira de frente, y para atrás, para la izquierda, para la derecha, ella examina todo, es una hembrita que tiene buena cabeza, y sabe hablar bien ¿verdad? no dice palabrotas. La Olga era una criaturita en esa época, pero miraba siempre para el costado, o para abajo, a la bragueta de él.

—Muy bien, empecemos por ahí, cagón, ¿por qué te gustaba ir a una casa donde se reían por detrás tuyo, el chacarero?

Él tenía mucha confianza en la casa de la Olga, iba todas las noches, después de noviar con la Gloria, y él no quería problemas. El padre de la Olga era dueño de la estación de servicio más grande del pueblo, una de las casas más lindas, enfrente a la María da Gloria. Pero una vez lo convidaron con una cerveza a él, y otra, y otra, y se echó a dormir hasta que era la hora de volver con la madre a la chacra, y los dos hermanos de la Olga vinieron y le pusieron una pila de almohadas encima, casi hasta el techo, para jugar, que eran criaturas. Ahí la Olga dijo, "¡Carajo, lo van a matar al muchacho!" Y que esto y que lo otro, y los otros salieron disparando y ella se acercó a ese rincón y le dio un beso en la boca, y él se estaba haciendo el dormido. Y ahí desde aquel momento empezaron a jugar, y cuando nadie los veía él la abrazaba en algún rincón y le daba de esos abrazos bien apretados, y unos intercambios de besotes, todo ese tipo de cosa, pero siempre jugando, hasta que ella le dijo, "Ya sé muy bien que primero están la Gloria y la Azucena, porque son señoritas y yo soy más chica". Y él le dijo, "¡Carajo! ¿entonces cómo vamos a hacer?" Y la Olga le dijo, "Vamos a dejar todo así a escondidas, porque probablemente mis padres no van a aceptar, de ninguna manera, no es por mí que lo digo, porque aunque tengo doce años te quiero desde hace mucho tiempo, es más que nada por la confianza que te han dado en mi casa ¿me estás entendiendo lo que te digo?" Pero él nunca más se quiso encontrar con ella a escondidas.

—La verdad, cagón, mentiroso.

¿Por qué a él nadie le cree? La Gloria no quería que él se fuese del pueblo ¡puta que la parió! ¿qué otra cosa podía hacer? ¡él no tenía ropa! ¿qué quería la Gloria, que él fuera a la iglesia a casarse en cueros? trabajar con el padre de él no arreglaba nada, porque no le daba nada. La comida gratis, nada más. Desayuno, arroz, agua, ese tipo de cosas, nada más. "Entre jugador de fútbol y uno que ara la tierra y otro que es doctor, o lo que fuera ¿cuál sería tu novio preferido para casarte?" "El sueldo de un jugador acá en Cocotá es muy poco, cinco cruzeiros, diez cruzeiros, no compensa", le dijo ella. Ahí él, "¡Puta que la parió, ésta quiere un millonario!" Y ella dijo, "Prefiero que seas algo como constructor, o electricista". Entonces él se volvió las dos cosas, entró primero en la electricidad, y después en la construcción civil. Porque estudió todas las mañanas en la escuela del pueblo y en la chacra trabajaba poco, el padre no le decía nada pero la madre le contaba que el padre decía que trabajaba poco, él a las cinco de la madrugada iba a juntar las vacas del campo para ordeñar, después cortaba caña y descansaba y a las ocho entraba a la escuela, y a la chacra no volvía a ayudar, lo invitaban a cenar todas las noches en la casa de la Olga, después de noviar con la María da Gloria y a la noche se volvía a la chacra con la madre. La madre le decía, "Después de la clase como buen hijo hay que volver a la chacra, porque siempre hay que quedarse arando, y sembrar, y cuidar las plantas".

—Y consiguió lo que quería, separarlos. Te jodío bien esa vieja puta.

—¡No! ¿qué dice esa perra? que nadie le haga caso, está furiosa porque hoy él no le pudo dar ni un billete.

—¿Quién es usted? Yo le estaba hablando al cagón, a Josemar, no a usted, a usted no lo conozco.

—¿No me conoce? yo vivo acá en Baurú.

—Yo nunca fui a ese pueblo de mierda, y no sé quién es usted, no me moleste más.

—Acá en Baurú todos me conocen, me dicen ¡Hola! y ¡Buenos días! cuando me ven pasar.

—Yo no hablo con desconocidos.

—Pero acá en Baurú yo no me voy a quedar, porque cuando junte para comprar el automóvil me voy.

—El Josemar ya no está más en Baurú, y usted sí. El Josemar me dijo que Baurú estaba muy lejos, él en lo único que pensaba era en volverse a la casa, el cagón de mierda.

—Yo no soy un cagón de mierda.

—Pero él sí, y la suerte es que los vecinos allá en Santísimo ponen la radio fuerte, y él va a poder escuchar la música ¡el pobre infeliz! porque la radio de él está sin pilas.

—Yo estoy en Baurú, un lugar totalmente desconocido, puta madre. Yo le digo al dueño de la pensión, este tragamonedas suena mal, suena como la puta madre que lo parió.

—Sin amigos, él en Baurú se volvía loco ¿verdad? Pero a usted le gusta, porque no es un cagón de mierda.

—¿Yo...?

—Sí, por eso usted se va a quedar ahí en Baurú para siempre. Mientras que el hijo de puta cagón está en Santísimo. Si usted no quiere ser un cagón hijo de puta tiene que quedarse en Baurú para siempre.

—¡No! Yo quiero volver a mi casa, me hace la comida mi mamá, aunque sea una polenta sin nada, pero no me importa ser pobre, tenemos techo y comida.

—Usted quédese ahí en Baurú, que ya no tiene más casa, ni comida, y su vieja se fue a otra parte porque está enferma.

—¿Pero por qué usted me habla así? ¿no se acuerda de quién soy? ¿no se acuerda de mi cara? ¿qué pasa? ¿ya nadie se acuerda más?

¿Quién se quedó allá? pero en Baurú el tipo que no es de ahí siente ese frío en el cuerpo, desesperación ¿no? pero él ya no está más allá ¡no! ¿dónde hay un espejo? él no sabe ¡él se tiene que afeitar! así, con jabón común, ya no tiene crema de afeitar ¡se acabó, puta madre! pero lo importante es pasarse la navaja despacio ¿qué apuro tiene, verdad? ahí un día fue que él conversó con un tipo, "¡Carajo! me sucede lo siguiente: yo soy un tipo que no soy de acá de Baurú, vengo de otro pueblo", y todo ese chorro de cosas. Él planeaba todo solo ¿no? Ahí fue a ver un partido, malo de dar asco ¿verdad? jugaban como el mismo carajo, a él le pareció. Ahí él pensó que un día si se animaba iba a acercarse a un tipo, al que entrenaba el equipo, y le dijo lo siguiente, "Soy empleado nuevo de la CESP, recién recibido, estoy acá en Baurú vigilando las turbinas, y me gustaría tener una palabra amiga con usted señor, después de saludarlo respetuosamente, y a su equipo de fútbol, que también tiene el nombre de Baurú, y después participar de un entrenamiento de su equipo, si fuera posible". Ahí el tipo le iba a decir, "Está bien, ya que usted ha hablado sobre lo que se propone hacer, las puertas están abiertas; mire joven, el entrenamiento es aquí miércoles y jueves, a partir de las tres ¿en el trabajo le darán permiso?" Él contestó, "Sí que me lo dan, y para más temprano también si usted quiere". Entonces el tipo declaró, "Usted véngase aquí a las cuatro". Y le preguntó en qué posición exactamente él jugaba mejor, "Soy puntero izquierdo, ala media también, y juego maravillosamente bien, usted señor va a ver en el entrenamiento, soy del pueblo tal y tal". Entonces el tipo, "No le voy a prometer nada, pero lo voy a probar con aquel tipo que jugó en el último partido ¿usted lo vio?" Ahí él dijo, "Lo vi enterito". Entonces el otro, "Entre ustedes dos está la cuestión, dependiendo de tu capacidad y tu visión futbolística, para desempeñarte en esa posición, contra el equipo tal y tal, y el otro se va a la reserva". Y él, "De acuerdo". Él quedó loco de veras esperando el miércoles, y participar, porque estaba ahí mismo mirando la cancha, con un pastito fuera de serie. Y ahí se apareció él ¿verdad? fue llegar y todo el mundo gustar de él ¿no? el estadio estaba lleno, maravillosamente lleno. Ahí fue que él se dijo a él mismo, hablando solo como los locos, "De acuerdo".

—Hablando solo como los locos.

Ahí entonces a la hora del entrenamiento el miércoles a las tres, no, a las tres menos cuarto él ya estaba ahí, tomándose un refresquito. Ahí el tipo lo presentó a un grupo de amigos que estaban ahí, que participaban del mismo equipo. El tipo lo presentó a todo el mundo, le mostró todo, "Este es el nuevo crack de nuestro club". Pero les hizo ¿cómo se dice? les hizo un chantaje a los otros, "Yo vi a este joven hace unos meses jugar, en la ciudad tal y el tipo era fuera de serie, acababa con la pelota". Todo para darle a él la oportunidad. Ahí la gente quedó toda esperando, ahí lanzaron unos carteles, los pegaron en las calles del pueblo, hicieron propaganda: miércoles a las tres y diez habrá un entrenamiento, pero con los nombres de los tipos que jugaban, la muchachada esa. Ahí lanzaron el nombre de él último de todos, "¡Esta es nuestra esperanza! la brillante estrella del equipo nuevo que va a debutar el domingo". Ahí todo el mundo quedó leyendo, Josemar Ferreira, nacido en el pueblo tal y tal, muchacho de tantos años. Ahí ¡puta madre! llovió gente al entrenamiento ¡puta que los parió! estaba así de gente, y cobraban para asistir al entrenamiento, y caro, cinco cruzeiros. Ahí el entrenador se dio cuenta ¿no?, "Este crack va a dar una gran renta a nuestro equipo". Aunque todavía no sabía ni cómo pateaba la pelota el nuevo, no tenía ni idea. Ahí cuando salieron del túnel todos uniformados para jugar, y todo el aparato ése, ahí salió el crack, ¡Josemar Ferreira! ¡Josemar Ferreira! Y ahí todo el mundo, "¿Cuál es el tipo?", "Es aquél, aquél es el hombre". Muy bien. Entonces primer entrenamiento, maravillosamente bien, él hizo cuantos goles se le antojaron en aquel partido, lástima que no se acuerda más de cuántos fueron, pero hizo un montón, jugó fuera de serie, jugó diez veces mejor que el tipo que pasó a la reserva. Ahí el entrenador anunció programa nuevo, "El viernes en el pueblo tal, o sea este mismo, habrá nuevo entrenamiento a partir de las nueve y diez de la noche, con la participación de nuestro nuevo crack". Carajo, fue ahí que cayó más gente todavía, comentando uno con el otro, algunos preguntaban a los otros, los que no tuvieron tiempo de ver los carteles, que no sabían leer, y cosas así, la cuestión es que estaba lleno. El domingo reventó el estadio. El partido era ese día contra el Cruzeiro de Mato Grosso. Ahí a la hora de aparecer en el campo de juego él ya saludó a la hinchada. Ahí se apareció mucha hembra bonita, lindas mujeres, hijas de aquellos tipos. Ahí él se dijo a él mismo, hablando solo, "Estás increíble hoy, si pudieras darle a la pelota como en los dos entrenamientos... esto va a ser fuera de serie". Ahí le dijo al entrenador, "Oiga jefe, ya le prometí que no lo iba a decepcionar, y hoy no lo decepciono ni que me degüellen, con una hinchada como ésta, y me voy a volver el nuevo ídolo del pueblo, voy a jugar un fútbol superior, a usted no le prometo meter goles porque el puesto es ingrato, pero lo que pueda lo voy a hacer". Diez minutos después empezó el juego, uno de los tipos no se sabe qué hizo, pero a alguien le dijeron que le pasara al nuevo la pelota, y le dieron una pelota servida, él gambeteó a medio mundo y la mandó para el fondo de la red.

—...

¡Puta mierda! en eso la gente empezó a saltar y empezó a venirse abajo la tribuna que habían hecho, para que entrara más gente, y que estaba cargada por demás. Ellos en esa época la habían hecho para dos mil personas y había más de diez mil encima de aquella mierda, y ahí se descalabró una parte ¿no es cierto? Ahí todo el mundo se cayó, se lastimó la gente y demás, pero no se fueron a la casa ¡nada de eso! atendieron a los heridos, cada uno como pudo y fue pasando el tiempo, pasando el tiempo, y cuando dieron los primeros treinta y cinco minutos él se pasó al centro del campo de juego porque el centroforward era un pata dura, jugaba como la mierda, no pasaba tampoco la pelota, ahí él le quitó la pelota al mismo centroforward del propio equipo, gambeteó la defensa enterita y mandó la pelota donde tenía que mandarla. ¡Puta que lo parió, carajo! aquello fue fuera de serie. Ahí entonces el público, todo el mundo miraba los carteles y gritaba el nombre de él escrito ¡Josemar! ¡Josemar! ¡viva nuestra nueva gloria! Increíble, ahí pasando el tiempo, y más tiempo, y a partir de aquel momento fue cambiando la vida de él, y pasó a olvidar todos los problemas de allá del otro pueblo, María da Gloria y compañía. Pasó a conocer otras hembras, hembras diferentes, cambió todo, todo diferente. Ahí lo aceptaron como si fuera un hijo de la casa. Y los tres años que estuvo allá fueron tres años de triunfo y ganó algo de dinero con el fútbol ¿no es cierto? sí que ganó, puta suerte que se dio vuelta, de vez en cuando algún director del club venía y le daba doscientos cruzeiros, trescientos ¿verdad? que en aquella época era mucho dinero, y entonces él estaba con algún billete en el bolsillo para tomarse una cerveza helada. Mejor si estaba acompañado, pero si estaba solo mejor, no tenía que pagarle una cerveza a un amigo interesado o a una puta arrastrada. Entonces qué mierda le podía importar, si se volvió el crack del pueblo, y tenía a todo el mundo a sus pies ¿verdad? Que vayan y pregunten de él en Baurú, todo el mundo se acuerda.

Capítulo VIII

Hace tiempo que él andaba con ganas de papas fritas, y lo de hoy va a ser un platazo de un kilo por lo menos. El domingo es largo y aunque un tipo se levante tarde le da tiempo para joder a todo el mundo. Él pensó, "Si hace buen tiempo me paso la tarde jugando a la pelota, después de las papas fritas". Porque la madre le dejó una bolsa mediana de papas, una bolsa de arroz pero más chica ¿no? dos tomates ya medio podridos y aceite en cantidad. Y más tarde se verá, porque está lloviendo y así la cosa no rinde para un carajo. Pero él va a comerse las papas, toditas, aunque tenga que estar pelándolas dos horas. El jueves él no almorzó, siguió trabajando en esa puta de obra, puta cocina con esas mierdas de caños, le dijo al ayudante disimulando, "No tengo tiempo, yo me quedo acá mientras te vas a buscar tu refresco y tu pedazo de pan con azúcar". Almuerzo nutritivo ¿no? Pero él no tenía más que para el ómnibus de vuelta. Y el viernes le pasó lo mismo, él calculó mal el presupuesto, subieron los materiales, rompió un caño sin darse cuenta, todos gastos de su bolsillo, puta madre que lo parió. Cuando trabajaba con el negrito de ayudante no le importaba decirle la verdad, a este otro un carajo le va a decir. Si estuviera el negro Zilmar, que tiene menos que él en la vida, lo convidaría con papas. Y ya para la noche no le queda más nada de comer, si se las come todas ahora. Pero no viene nadie a la casa cuando no está la madre de él, y menos todavía con esta lluvia puta ¿entonces quién se va a dar cuenta del asunto? Con la lluvia al menos se salva de regar los frutales del fondo, pero ni una sola naranja quedó. A cualquiera le pasa de quedarse un día o dos con el tanque del motor vacío, eso no es ninguna vergüenza, hoy si alguien le golpea a la puerta él no va a abrir. Y mañana lunes le pagan el veinticinco por ciento de la factura final. Hoy se va a quedar descansando, por ahí sale el sol y se juega un buen partido de cancha de barro, aunque él esté medio resfriado. Si viniera el negro sí le abriría la puerta, aunque le trae siempre alguna mala noticia. A una mujer no le abriría. A ninguna. Y a la madre de los hijos la va a cagar de un golpe si jode mucho. El negrito andaba trabajando cerca de Baurú, aquella vez pasó por Baurú con un hambre del carajo, "Te quiero contar todo de Cocotá, vengo de allá, estuve de pasada". Y él antes le preguntó, "Negro del carajo ¿cuándo fue en tu vida que pasaste más hambre?" Y el negro, "Muchas veces, maricón; la peor una vez cuando salí del ejército, y trabajé de lo mejor aquellos meses, hasta que no hubo más trabajo; y tenía que pagar la pieza, pero no había trabajo y terminé las provisiones; por ahí salía algún asunto, y comía, pero hubo una semana que no apareció nada, y un día no aguanté más, un día sábado; ya no me podía levantar de la cama, maricón; y ahora te cuento todo de Cocotá". Y él le dijo que mejor él le contaba de la Deusa, una que le pidió que matara al marido, y el negro no, le empezó a contar de Cocotá.

—¡Negro de mierda! ¿quién te dejó entrar acá?

—A usted no lo conozco, yo soy Zilmar.

—Pronto te vas a acordar de quién soy ¡negro inmundo! ¿por qué no tomabas agua si tenías hambre?

—No se enoje así, señor. Yo sí que tomaba agua, y había una negra, la Margareth, yo le decía ¿no te sobra un poco de pan? ahí ella me daba pan y hasta un café ¡puta carajo, fue así que perdí la salud! antes tenía mucha más fuerza ¿no es cierto? nunca más tuve ese cuerpo que tenía.

—Negro de mierda, en el campo comías, jugabas a la pelota ¿no? trabajabas, te subías por la ventana, te montabas a la negra Teresa ¿para qué mierda te fuiste del campo?

—Porque me llamaron del ejército, señor, y después me quedé en el puto Río. ¿Usted quién es, señor?

—¿Todavía no me reconociste?

—No sé, señor, usted está sin afeitar, no se bañó, tiene un olor del carajo, y con las ventanas cerradas y la puerta también, para que no lo vean que se quedó con la bolsa de papas nada más, está muy oscuro.

—Tengo dos kilos de papas, yo no paso hambre mientras que otros sí, negro piojoso. Ya estás acostumbrado a irte a dormir sin comer.

—Sí, señor, usted tiene razón, pero nunca me acostumbré a dormir sin comer. Si esta noche el Josemar no me convida con nada y me voy a dormir sin comer me duermo y me despierto, no consigo dormir, me duermo y me despierto.

—¡Jódase y cállese, mierda! y vaya a revisar esa puerta, a ver si está bien cerrada, y la ventana, revise la tranca, que acá hoy no entra nadie. Mujeres de mierda.

—Está todo bien cerrado, señor.

—¿Y te podías montar a tus negras del carajo cuando no comías?

—Se puede echar una jineteada, una sola; más no da, por más que quiera, y la mujer tiene que ser de su tipo preferido. Si no, imposible, no se consigue hacer un carajo.

—¿Y el Josemar? ¿qué mierda hace él con las hembras cuando tiene el buche vacío?

—Él me dijo que a él le pasa lo mismo, señor, con la panza llena es una cosa, si no, es otra; la debilidad es tanta que uno cae encima de la hembra, pa-pa-pa, en dos minutos ya terminó; porque uno está débil, no se puede controlar, porque si uno hace mucha fuerza se joden los pulmones; sin comer si se clava a una hembra, dos, tres días, uno se enferma de los pulmones; sin comer se empieza a sudar, y lo mismo sigue pensando en ensartarse a alguna.

—Negro de mierda, no hay que ser un cobarde cagón y decir toda la verdad.

—Sí, yo le cuento, señor. Si el cuerpo no está preparado uno piensa pero después renuncia, yo una vez estaba comiendo mal, trabajando, comiendo mal ¿me entiende? no almorzaba, no cenaba, si cenaba no almorzaba, y me clavaba a una hembra, se me venía a la pieza que yo alquilaba para que la ensartase, y venía un día sí y un día no; y una vez vino y se quedó, todo el día ensartados ¿verdad? ella era soltera pero no alimentábamos el cuerpo; y llegó un día que me dio una tembladera que me quedé temblando unas dos horas; y sudando frío; muchos días que me la había clavado dos y tres veces; siempre de noche, yo llegaba, me daba un baño, cenaba, y ahí empezábamos.

–¡Negro puto, yo si no como puedo clavar lo mismo! pero lo que me pasa es que tardo en largar el chorro, o no puedo largarlo, yo soy distinto, pero la bandera sigue arriba.

–Yo le dije al Josemar, "Maricón puto, a una mujer hay que hacerla gozar", que llegue dos y tres veces debajo tuyo ¿verdad? por lo menos una, y si es posible dos; pero si el tipo está débil termina en seguida, y hay que saber prepararla para terminar junto con ella ¿o si no dónde está el gran macho? no resulta si la mujer goza una vez y después el tipo, no sale el hijo si no terminan juntos; si terminan juntos tiene que tomar la píldora, si no se la puede ahorrar; yo sé lo que es dormir con una mujer y con hambre; ella con hambre también, ahí ¡carajo! aunque era de noche ese jueves no hicimos nada; yo le dije, "Clavar no, si no nos vamos a enfermar"; a mí me pagaban el sábado, y el viernes ella era sirvienta pero ese día no había comido y llegó con hambre también ella, ahí ella agarró el único circulante que tenía, no me acuerdo cuánto era, sé que era una miseria; ahí entonces fue y compró un pan; ahí entonces nos comimos el pan, de esos con azúcar. Ella se comió un pedazo y yo el otro pedazo; pero nada de andar clavando, qué mierda ¿no? usted me comprende.

—¿Comprendo qué? Yo no sé lo que es esa miseria, por eso le pregunto, negro asqueroso.

—Yo le cuento, señor. Ahí el día sábado fui a la empresa, retiré los billetes, ahí me vine, hice las compras, a eso de las dos de la tarde, y ahí hice la comida; ahí ella se había ido a trabajar, después llegó.

—Pero de este plato de papas fritas de dos kilos, de eso se quedaron con las ganas.

—Compré carne, fruta ¿verdad? huevos, un buen bife, pan, huevos, un bife a caballo. Yo y ella ¡puta que la parió! tomamos coca-cola; ahí descansamos un poco, de tanto almuerzo; ahí cuando nos despertamos eran las seis de la tarde, nos quedamos un poco en el desperece, nos dimos un baño y fuimos a desquitarnos del día que no había habido comida; no es joda, no; las personas, el hombre principalmente, tiene que tratar de alimentarse bien de verdad, si no el sable cae, y una vez me tocó una obra en una casa lejos de todo en la playa, en Saquarema, Estado de Río ¡carajo! por el lado de Cabo Frío. Fui a trabajar para allá, compadre, con ese aire puro del mar ¿verdad?

—Yo no soy su compadre.

—Perdone, señor, y allí preparaban la comida para todo el personal porque había que estar ahí, bien lejos de todo, y engordé cuatro kilos en veinte días que me quedé ahí trabajando; comíamos de todo, nos bañábamos en el mar temprano a la mañana, y al mediodía el almuerzo, y así todo; y el capataz me dijo lo que tenía que hacer para entrar en eso, del sindicato. Pero mejor ya echar las papas, todas, al aceite hirviendo ¿no? si usted deja la mitad para la noche mejor para usted, no me convide.

—Yo antes también estaba en el sindicato, pero ahora soy autónomo, y es lo mismo, si yo me quiebro un brazo me pagan el hospital ¿usted qué se cree? muerto de hambre.

—Pero usted, señor, como autónomo no tiene vacaciones ni un carajo, si para de trabajar el problema es de usted. Y usted es electricista, y albañil y carpintero y plomero y pintor al mismo tiempo, y el sindicato no hace que le paguen por cada uno, porque como especialidad tiene un sueldo mínimo, pero el sindicato no hace que le paguen por cada una de las especialidades, ni una mierda.

—¡Cállese, carajo! lo peor de todo es dar un presupuesto al cliente por debajo de lo que tiene que ser ¿no? y el cliente empieza que es muy caro, que usted me está robando, que la puta que lo parió, y el tipo que quiere trabajar termina rebajando el precio y después va y subió el material, que el cemento no subió ¿es verdad o no? pero subió cada ladrillo a casi el doble, y después el cemento también y cuando va a entregar la obra terminada a veces acaba perdiendo y tiene que poner del propio bolsillo.

—Y al pobre tipo se le empieza a calentar la cabeza de nervios, ya se le arruinó la vida, ni siquiera una hembra le sirve, el Josemar me dijo que nervioso no siente nada, es como aplicar una inyección, los nervios arruinan todo ¿no? porque la cabeza controla el miembro, el garrote, que con nervios no es garrote.

—Eso le pasa a los negros del carajo, no a mí.

—El tipo aquel de la obra en la playa me empezó a hablar de que cuando volviera a Río tenía que juntarme con otros albañiles porque la unión es la fuerza, y terminar con el aprovechamiento de la gente pobre. Y yo fui, hasta que la policía nos corrió, por desacato al gobierno.

—Yo en Baurú estoy sindicalizado ¿usted qué mierda se cree? y yo no tengo nada contra este gobierno de ahora, pero a mí me parece equivocado como el carajo, si yo estuviera en el gobierno bajaría el costo de la vida, bajaría el combustible, para que la gente anduviera en automóvil todo lo que quiere, y pondría los pasajes de ómnibus baratísimos. Y cuidaría más la ciudad, sobre todo los pueblos del interior, porque está equivocadísimo, aumentar el combustible dos veces por mes.

—Usted no tiene automóvil pero lo mismo no está de acuerdo. ¿Pero igual no le gustaría que todo el mundo tuviera lo mismo?

—¡Idiota! sí que me gustaría, pero nunca puede ser así, tiene que haber gente más pobre y gente más rica. Hay gente que no le alcanza para comer y otros que se sirven estos casi dos kilos de papas fritas, y no dejan ni una de recuerdo. Sí, en los países comunistas dicen que sí, pero acá no. Acá no es posible porque si fuese toda la gente del mismo nivel entonces nadie trabajaría. Pero eso es demasiado para que lo entienda un negro ignorante ¡como usted!

—Sí, señor.

—Yo pienso: pero tiene que haber gente de vida mucho mejor para que den trabajo a los otros. Si no se quedarían sin trabajo. Y acá en Río si el ayudante que trabaja conmigo fuese rico no trabajaría conmigo ¿no? trabajaría por su cuenta. Entonces como yo tengo más suerte que él a pesar de no ser rico, yo lo ayudo, ayudo a toda una familia ¿no?

—Señor, usted es una persona de categoría.

—¿Qué es eso de categoría? un cagón de mierda, eso es lo que es, y que empiece por ayudar a su familia, antes que a los otros ¡mentiroso del carajo!

—¿Quién es esa mujer, señor?

—Una perra de la calle.

—Está bien, señor, entonces no le voy a hacer caso, ahora yo a usted le cuento todo de Cocotá, que tengo muchas cosas nuevas que contarle, de la María da Gloria, que parece que...

—¡Después! Yo te voy a contar cosas de acá de Baurú.

—Cagón, ya no estás en Baurú, estás acá, en Santísimo, y hay dos criaturas que tienen que comer todos los días.

—Otro día me vas a contar de Cocotá, no hay apuro ¿verdad?

Pero primero el Josemar le cuenta algo, que es la pura verdad. Resulta que un miércoles no le tocaba trabajar y él encontró en la calle a una con que había viajado en un ómnibus de San Pablo hasta acá en Baurú, muchas horas, y ella le dijo que estaba en la casa de la cuñada y él la acompañó hasta la casa y cuando llegaron abrió la puerta la cuñada, y era la Deusa, que él siempre la veía y ella lo miraba, aunque iba del brazo del marido, que era chofer de camión de carga. Y un tiempo después la Deusa le pidió que matara al marido. Pero el Josemar es una persona decente, y eso la María da Gloria no lo sabe, él se lo va a contar un día.

—Cagón, no te olvides de contarle que le robaste mil cruzeiros al pobre viejo que te regaló un bife.

Y él antes empezó a noviar con la más joven pero la Deusa empezó a gustar de él también ¿verdad? Las dos. Pero la más joven se volvió a San Pablo, y una vez le escribió a él, y le mandó un mensaje a la cuñada. Él llegó a eso de mediodía, abrió la puerta la Deusa, el marido llegaba a las dos, "Acá está la carta que me mandaron a entregarle". Ahí charla va charla viene la Deusa le hizo una pregunta, "¿Te la clavaste a mi cuñada, o qué?" Y también le dijo que el marido llegaba a las dos y cuarto. Y él, "No, todavía no sucedió nada, no me dio aquello". Ahí la Deusa le dijo así, "No es posible". Ahí sucedió lo siguiente, en ese mismo rato empezó el asunto de ellos dos, se la clavó en el baño parados, a la mujer del tipo, del chofer. Ahí empezaron, y siempre que el marido salía de viaje él se la montaba, sin perder ni una oportunidad. Ahí un día hubo un choque de ómnibus, cerca de Parada de Lucas, en el camino a San Pablo, y no se sabía nada más, ahí ella le dijo así, "¡Me cago en él! ¿no será ese hijo de puta el que se murió?" Él dijo, "No sé". Ahí en seguida por la radio anunciaron que no era el tipo. Ahí ella le dijo que lo iba a mandar a matar, "Por causa tuya, lo voy a mandar a matar para vivir juntos, con un hombre fuera de serie ¿verdad?" Y él le contestaba siempre lo mismo, "No vas a hacer eso de ninguna manera, él es un hombre trabajador, honrado, tiene que vivir ¿no es cierto?"

—Si te pagaban cien mil cruzeiros lo matabas. De espaldas, cagón.

—Pero yo tengo para contar muchas más cosas, de Cocotá, de la...

¡Un momento! porque ella era muy nerviosa, con el marido peleaban mucho, y ella le tenía un odio terrible, no lo quería para nada, de ninguna manera. Ahí ella decía que lo odiaba porque el marido se la montaba y ella no sentía nada, por más que quería. Y pasó el tiempo y el marido fue cada vez peor porque al final no se le levantaba la bandera y no conseguía montársela, y ella se enloqueció por el que no debía. Y el marido tomaba remedios pero seguía con el mismo problema, y ella lo iba a mandar a matar, ya estaba decidida. Pero él después dejó de ver a la Deusa, que estaba buena de veras, hembra sinvergüenza del carajo.

—Josemar maricón ¿no me vas a dejar hablar un carajo? ¡es de la Gloria que tengo que contarte!

Y si el negrito viniese a Santísimo hoy a saludar a la madre de él, que lo crió cuando se quedó huérfano, no la encontraría, pero él le contaría de otra más que era peligrosa como el carajo, pero es de Copacabana, llena de billetes, veterana. Y si no lo cree que se vaya a la mierda. De la que no le va a contar es de la maestra de Cocotá, la Valseí. Porque el hombre que es un caballero no puede contar algo que a una mujer le ensucia la reputación. Y si en este momento entrase alguien de visita y lo viera con este plato de papas fritas sabría lo que es un plato abundante. La de Copacabana era la mujer de un médico, y de vez en cuando le decía, "Voy a mandar matar a mi marido para vivir con mi amor". Siempre decía lo mismo. Él le cambió todos los mosaicos de la cocina, y a ella le gustó mucho el trabajo, y le gustó mucho él también. Ahí ella se le entregó entera, vivía llamándolo, para tomar una cerveza, para almorzar, cenar juntos ¿está claro? Ahí todo en orden, sin problemas, y llegó el día de darle con el garrotito. Ahí un día él se dio cita con la veterana, le dijo, "El asunto es el siguiente: vamos a encontrarnos a las diez de la noche". Ahí salieron a las diez y fueron para un hotel lejos de Copacabana, y ahí se quedaron toda la noche y volvieron a las seis de la mañana. Él no conocía al marido. Ella le dijo, "Ay pobre de mí, lo tengo que mandar a matar, que vive con otra mujer". El marido de ella, pero vive y duerme el tipo en la casa de ella, la veterana, mayor que él de edad, él vive con una y vive con la otra ¿está claro? Ella es dueña de tres departamentos, esa señora. Ahí ella le dijo que no podía soportar la relación con el marido, más de cinco años que él no la toca, pero no deja de ir a dormir ahí. Porque tienen dos hijos, de él y de ella ¿verdad? Él era un muchachote pobre, y ella lo hizo volverse rico ¿no? lo hizo estudiar, le dio para recibirse de médico, y después que él se recibió la abandonó ¡hijo de su puta madre! De vez en cuando ella tenía ganas de un garrotazo, dado con gusto. Y él si ella quería iba con ella a un hotel. Y en el hotel en un momento que se la estaba montando ella se cayó de la cama, y se lastimó la cabeza y él también pero menos. Se cayó ella de la cama cuando estaba en el brindis final y sin darse cuenta metió la cabeza entre los barrotes de la cabecera de la cama, y le salió sangre, y ahí ella, "Si no me vas a prometer que lo vas a matar... llamo a la policía y le digo que me lastimaste a propósito". Y él no le hizo caso y ésa fue la última vez.

—Esperabas que te ofreciera un millón de cruzeiros, pero ella no habló de plata, cagón hijo de puta.

El negrito no le creería, a veces él no le cuenta cosas porque el negro no cree nada. El negro le contó, "¡A mí una negra me quería matar, y ella misma!", en Río, una sirvienta del barrio de Leme, "Yo no sabía que estaba mal de la cabeza y me la monté, que por suerte no la vi más, porque andaba siempre vestida de blanco, estaba nerviosa porque había tenido un hijo soltera de un tipo, y lo había querido ahogar con una almohada, y después se arrepentía y se iba hasta la comisaría gritando".

—¿No se clavaba las uñas como yo? ¿qué gritaba?

"Gritaba que la vida de ella era el infierno en la

tierra. Y cuando se peleó conmigo también me gritaba lo mismo, eso, que la vida de ella era el infierno en la tierra. Se iba a la comisaría si no la atajaban, para entregarse por culpable de un crimen, de matar a su hijo; y la patrona de ella se la encontró en la calle que la loca había salido con el hijo envuelto en un trapo y estaba en la mitad de la calle para que los automóviles la pisaran." Él no le cree todo lo que le cuenta el negro, de Cocotá, que lo mandaban a saludar muchos, y le había preguntado por él el señor aquel, el dueño del campo, y que le mandó a decir que si volvía al pueblo pasara a saludarlo, y que viera la cancha de fútbol que había hecho detrás de la casa, y la cancha de tenis, y que está contento que un muchacho del pueblo estuviera trabajando bien afuera, aunque era un ingrato porque se había ido sin despedirse. Y que los hijos del dueño ya están grandes, y empiezan a noviar con las muchachas, y él no le contó de la maestra de la escuela, al negro. Habían pasado como quince años, cuando se la volvió a encontrar.

—Señor, qué doraditas están esas papas ¿no le queman la boca así tan calientes?

Él hizo todo el primario con ella, no había otra maestra. Mejor, porque él la quería mucho. Después ella desapareció, se la tragó la tierra. Y él estaba ya con sus veintisiete años cumplidos cuando lo mandaron a hacer la inspección de una línea cerca de Mato Grosso ¿verdad? Ahí él la reconoció, se le acercó, la miró un buen rato. Él estaba parando en el Porto Hotel, de ese lugar, trabajando para la CESP, la vio pasar, siempre a las ocho y media de la mañana, bueno, él se dijo a él mismo, "Esa es la Valseí, tiene que ser ella". Él estaba asomado a la ventana de su pieza. Ahí un día bajó de la pieza y se le cruzó delante, "Perdone, señora, discúlpeme por lo que voy a decir, no lo tome a mal, pero usted se llama Valseí ¿no es cierto?", "Yo me llamo Valseí Ribeiro, es cierto que me llamo Valseí", Ahí él le dijo, "¿Dónde fue que usted vivió? ¿en qué años usted dio clases en otros pueblos?", "Di clases en Cocotá, di clases en Nova Iguaçú, di clases en Miguel Couto", "¿Y usted se acuerda de algunos de los alumnos que tuvo?", "Sí, yo me acuerdo de muchos alumnos", "¿Y usted no se acuerda de alguna historia medio rara con algún alumno más vago que la mierda?" Ahí ella pensó, pensó, y él trató de ponerla sobre la pista, "Mire, hijo, el problema es el siguiente: tuve muchos alumnos, y estoy muy contenta de que se me acercó a hablar pero estoy sobre la hora; hagamos lo siguiente: más tarde nos encontramos acá mismo, a las ocho de la noche, para ver de qué se acuerda el uno y el otro; pero dígame, ¿qué trabajo hace?", "Soy supervisor de línea de la CESP". Ella ya conocía la empresa. Y él le dijo que sobre todo era ajustador de transformadores. Pero estaba bien claro que ella no se acordaba todavía de quién era él. Ella todavía seguía linda. Un cuerpo bien hecho. Y le dijo, "No se retrase, señorita, a las ocho estoy acá que ya terminé de cenar; y no me deje esperando, que hay un detalle que le va a resultar tipo sorpresa". Y ahí cuando fueron las ocho en punto ella apareció. Él la vio desde la ventana de la pieza del hotel. Él le dijo, "Vamos a conversar ¿verdad? vamos a sentarnos en esa plaza", y ella habló de algunos alumnos que eran compañeros de él en aquella época, pero de él no decía nada, "Escúcheme, yo tuve alumnos muy traviesos, muy revoltosos, uno era Geraldo, realmente me daba muchísimo trabajo, siempre estaba metido en algún lío; estaba ese Geraldo, Léo, Cleó, Doraldo, una serie de muchachitos muy pendencieros, me acuerdo muy bien". Y después ella le pidió que la acompañara hasta la casa, que estaba lejos y ya era tarde, por unas calles oscuras, y ahí le dijo, "Me siento mejor con un hombre que me acompañe a esta hora, tan oscuro; nunca salgo a esta hora porque volver sola a mi casa me da miedo; a mí me gusta la vida de la mujer soltera, pero eso sí no me gusta, que no tengo quien me acompañe a la noche hasta mi casa". Y él no se aguantó y la tomó del brazo. Ella le preguntó qué día había nacido y entonces ella le dijo que él era de un signo especial de las estrellas, del signo del león. Y al pasar por unos árboles muy tupidos él paró y dijo que esos árboles eran parecidos a los de Cocotá, y no era verdad, para ver lo que decía ella, si quería seguir caminando rápido a la casa o se quedaba ahí. Ella se quedó parada, como una vaca mansa. Y se la montó echados en el pasto, él ni se acuerda cómo fue, lo único que se acuerda es que ni hablaron casi, que él la abrazó y ella estaba sin poner resistencia, él le bajó el bikini y la acostó en el pasto y la hizo gritar del gusto que le dio, pero se despidió ahí nomás, no la acompañó hasta la casa porque le dijo cualquier cosa, que lo esperaban a jugar un partido de billar o algo así, y le dio cita para la otra noche, y él no se acuerda si se tuvo que ir a hacer una inspección a alguna línea del campo, o qué, o si ya se tuvo que volver al otro día a Baurú, pero verla no la vio más. Él no le dijo nada de aquella carta que él le escribió cuando tenía once años ¿para qué perder tiempo? lo mismo ella no se acordaba de él, cuando la mujer es puta no le importa nada de un tipo o el otro. Aunque él creía que ella era una mujer de otra clase ¿verdad? Pero al negro él no se lo contó. ¿Y para qué va a dejar estas cuatro o cinco papas en el plato? ¡al buche!

Capítulo IX

—¿Por qué la casa está tan limpia?

La madre de él volvió, es una señora muy buena y en seguida nomás se puso a limpiar todo.

—Hacía mucho que no pensabas en mí ¿verdad?

Pero no volvió curada. En el hospital del pueblo le dijeron lo mismo que en el de Santísimo, "Usted, señora, tiene que hacerse un tratamiento y se tiene que quedar en este pueblo, para que su hija mayor la cuide". Él le preguntó, "Vieja ¿por qué usted se volvió entonces para acá, si no tiene terminado el tratamiento ese que a usted la va a curar, y del todo?" Y ella, "Tu hermana mayor me va a cuidar, y me voy a curar del todo, gracias a mi hijo que pagó la operación aquel año, que salió tan cara, todo se lo debo a él, a este hijo tan bueno". Y lo abrazó muy fuerte. Pero llorando de triste que estaba, no de alegría.

—¿No estaba agradecida a Dios que se iba a curar?

Ella tenía pena, el tratamiento que le dijeron en Santísimo que era muy caro, en Cocotá le dijeron que iba a ser más caro todavía. Y la vieja, "Lo único que tengo para vender es esta casa, pero así te dejo sin techo, a mi hijo querido que me salvó la vida; y eso nunca en la vida lo voy a permitir que suceda". Y él se quedó pensando, "Vieja, usted no se preocupe, que su hijo le va a conseguir ese puto dinero, y si no usted puede vender la casa tranquilamente, que su hijo ya es un hombre". Pero él se quedó muy triste. Aunque ese dinero va a conseguirlo, sin vender la casa ¿no es cierto?

—Tu mamá duerme ¿por qué te despertaste? son apenas las dos de la mañana.

Si la Gloria lo escuchase él le pediría una cosa.

—¿Cuál? Yo te estoy escuchando.

Que ella le dé una prueba, vaya a saber cómo ¿no? de que todavía lo quiere.

—¿Por qué?

Él nunca estuvo tan jodido en su vida y le pide que lo ayude. Si la madre se da cuenta de lo que le pasa a él, qué joder, se va a enfermar más todavía y se va a morir.

—Y el hijito se va a quedar solo ¡cagón! ¿en qué estás pensando? esa pelota de tus hijos está pinchada, no te sirve para jugar.

La pelota tiene la cámara pinchada. Cuando él llegó del trabajo a la casa ella estaba haciendo una visita, la madre de los hijos de él. Él la trató bien, porque ellos no se hablan y esas cosas, pero al llegar él a la casa se encontró a la madre conversando con esa mujer. Y ella, "¿Me das permiso, que visite a tu mamá?" Y él, "Está bien, no hay problema, que esta casa te bendiga, por mí pueden quedarse cuanto quieran", porque estaba con los dos varones. La pelota tiene la cámara pinchada y se la dejaron a él para que se la arreglara. Ahí él salió, se fue a dar un baño y ese tipo de cosa, ahí después se fue a calentar la cena, comer cualquier cosa que estaba muerto de hambre, ni siquiera había almorzado. Y después cuando la María Lourdes salió, en la calle ella le dijo, "¿Estás satisfecho con mi venida aquí?" Y él, "Tu venida está justificada porque estás viendo a la vieja". Y ella se ofreció a ayudarla durante la enfermedad en lo que fuera posible. Entonces él dijo, "Yo te lo agradezco, de acuerdo, y si fuera posible, de yo tener dinero te pago, porque estoy necesitando ayuda". Y ella, "Siempre tan orgulloso ¿verdad? por todo querrías pagar". Y él, "No, no es eso, es que no me gusta deber favores a nadie". Y se llevó a los dos hijos, que estaban molestando, peleando, delante de la abuela, y ella se los llevó. Él les dio un beso y le pidieron cien cruzeiros para arreglar la pelota, que él no tenía. Él dijo, "Qué lástima, no tengo, otro día sí, que hoy estoy sin un cobre", "Ah, es que queremos jugar", y que esto y que lo otro, "Está bien, quédense tranquilos que este fin de semana se la devuelvo ya recauchutada. Me quedo con la pelota y mañana la llevo a un lugar donde me la van a arreglar sin cobrarme nada", "¡Papá! ¿por qué no nos das diez cruzeiros para caramelos?", "¡Sí, papá, danos esos diez cruzeiros! ¡no seas malo!" Y ahí él, "Hoy no tengo y se acabó, tengo justo para el ómnibus para ir a trabajar mañana, no tengo ni un cobre más, lo juro". Y el más grande, "Está bien, entonces el sábado venimos a buscar la pelota". Y él, "Entonces el sábado se vienen para acá a buscar la pelota". Y la Lourdes se despidió de la madre de él, "Señora, voy a tratar de ayudarla en mis ratos libres, cuando pueda me vengo para acá", y charló un rato más así, ella es una mujer que vale bastante.

—A mí no me importa más lo que pienses de mí, ya te conozco demasiado.

Uno tiene seis años, y el otro cuatro, el más rebelde de los dos, y están juntos todo el día. Ella dice que pelean, rompen todo, tiran todo al suelo, arman una confusión terrible en la casa. Los dos son lindos. Y ella es una mujer muy educada, habló mucho, con juego abierto. Y él, "Qué visita larga tuvo usted, vieja". Y la madre habló así, "Está bien, ella es buena conmigo, pero es al padre de los hijos al que no quiere nada". Y él dijo, "Lo que yo quería era dos hijos y ya los tengo". Y no dejó seguir el tema, salió al patio. La madre de los hijos de él va a venir a ayudar, a lavar la ropa, cuando él no está, y le preguntó a la vieja por qué se iba a volver al pueblo, "¿Por qué usted, señora, no quiere quedarse a vivir acá?" Y la vieja, "Es que posiblemente venda la casa, y cosas por el estilo". Y la otra, "¿Pero y su hijo dónde se va a quedar?" Y la vieja, "Él se va a ocupar de su vida". Y la otra, "Pero queda medio raro el asunto ¿no?" A la Lourdes el asunto no le gustó, nada le gustó, ni un poquito. Y la madre, "Es que si vendo es porque voy a estar obligada porque estoy con un problema de salud y hay que cuidarse mucho, no le digas nada al Josemar, y también estoy con una deuda del Seguro Social que pagar, ahí tengo que poner todo eso en orden". Y así fue la visita de la otra, larga como esperanza de pobre. Y dijo que va a volver siempre, para ayudar a la vieja, cuando tuviese ropa para lavar y ese tipo de cosas.

—Si te quitan este techo no me busques, porque en la casa mía y de mis hijos no vas a entrar.

Ella es maestra, y trabaja doble, a él le parece que empieza a las ocho en un colegio y deja a mediodía, y de las dos en adelante en un colegio particular. La vida de ella es así, trabaja más que el carajo. Y después en la casa tiene que completar el resto, con las criaturas de ella, hacer la comida, la leche, la mamadera, todos esos asuntos de las criaturas. Ella es una mujer honrada, trabajadora. Pero hace casi cuatro años que él no la toca, y no tiene ninguna gana. Cuando él se asquea de algo es para siempre ¿no es cierto? Él cuando dice basta no quiere más, se acabó. No mira más para atrás. Una vez que sale no vuelve a entrar.

—Porque la puerta está cerrada.

Ella discutía mucho con él ¿verdad? Y él ¡carajo! él no tiene tiempo, ni horario fijo para volver a casa, nunca sabe a qué hora puede dejar la obra en construcción, entonces ella lo mismo quería controlarle el horario, de verdad que fue así. Ella decía, "Te espero sin falta en casa a las siete de la noche". Todos los días. Carajo, y él no. Él no iba a hacerle ese juego ¿no? ¿cómo es que iba a llegar todos los días tempranito, a las siete en casa? ¿a qué hora iba a largar el trabajo? Él algunas noches iba a dormir con ella, otras en la casa de él.

—¿Nunca le tiraste una cobra encima, como me

hacías a mí para asustarme?

Ella y las cobras juegan en el mismo equipo. Pero no es fea, es linda, blanca de pelo negro largo. Ahora lo tiene teñido de rubio, se cambió el paisaje ¡más mala que el carajo! ella y una cobra pueden vivir juntas, pueden divertirse, que son dos fieras.

—¿Nunca pensaste en matarla, como a una cobra?

Él pensó que si la veía a la María da Gloria con otro la mataba. El negro Zilmar aquella vez que pasó por Baurú le dijo, "La María da Gloria está mejor, ya volvió a la escuela, si puede terminar de estudiar un día se va a recibir de maestra; ella ya está mejor de los nervios. Ya no piensa más en lo que pasó. Pero sale poco, novio no tiene, de eso estoy seguro".

—No es cierto, yo sigo pensando en lo que pasó.

Y él le dijo al negro, "No es cierto lo que dijiste, ella sigue pensando en lo que pasó". Y el negro le preguntó por qué él nunca se había hecho amigo del Matías. Y era verdad, el Matías no era amigo de él, pero la Gloria hablaba mucho con ese Matías, se llamaba Matías el tipo, un tipo alto y gordo. Ahí ella siempre le decía lo mismo, "El Matías fue criado acá en casa, junto con mi hermano, no tengo nada que ver con el Matías". Pero para él ésa era una guerra de nervios.

—El Matías se fue a estudiar y nunca más lo vi.

¡Carajo, él le dijo que no conversara más con ese tipo! Él vio que el tipo un poco le gustaba. El Matías se fue a la Universidad, y se va a recibir en una cosa de esas, de Agronomía, "¡Carajo, no te quiero ver más hablando con ese tipo!" Pero no se le puede gritar mucho a la María da Gloria porque está enferma. A él le dijeron que ella lo ve aunque él esté lejos ¿verdad? Lo ve llegar con un ramo de flores cada vez más grande, dicen.

—Es cierto, yo no me olvido, sigo pensando en lo que pasó. Y no estés triste, que tu mamá ya anduvo regando los frutales y en Baurú ya no estás más.

Él se fue de Baurú porque no podía más aguantar la distancia.

—Cagón de mierda, nada de eso, no te aproveches de esa pobre loca, porque te cree todo, hay que decir la verdad, aunque te joda.

Él había ido a colocar unos postes, los de alta tensión, por el campo, pero cuando llegó de vuelta a Baurú ahí le avisaron que el personal se había mudado de buenas a primeras. La CESP ya no estaba más ahí ¿está claro? y él no tenía ni un centavo en el bolsillo, o casi nada, dos cruzeiros. Ellos se habían mudado, el personal completo, la pensión ya suspendida para el carajo, y se habían ido todos, al otro pueblo casi en Mato Grosso, que estaba casi a mil kilómetros, y él sin un centavo para viajar. Que se quedó solo ahí en ese pueblo ¿no?, sin nadie a quien pedir ayuda, ningún colega había quedado, le habían dejado en el hotel la dirección adonde ir, y nada más. Él no tenía confianza con nadie, no era mucho tiempo que había pasado ahí. Tres años había pasado en Baurú y ahora se tenía que ir. Ahí él se quedó desesperado, pasó más de dos horas pensando cómo iba a hacer para llegar hasta Mato Grosso, sin un centavo. Ahí él empezó a planear de joder a alguno, ahí después llegó a la pensión del tipo, "Usted sabe que yo soy de acá, estoy acá desde hace mucho tiempo y que esto y que lo otro, necesito veinte cruzeiros para llegar a un pueblo cerca de Mato Grosso; y tal día vuelvo y le doy de vuelta el dinero". Ahí el tipo no tenía los billetes, y él estaba nada más que esperando la hora del ómnibus, no estaba bien de sus sentimientos a esa hora, cuando estaba por salir el ómnibus, salía a las once y cuarenta, ahí tomó el ómnibus y le dijo adiós a todo el mundo, los que jugaban al fútbol con él, ya no había problemas. Tres años ahí en Baurú, ahí arrancó el ómnibus, pero él no tenía confianza con nadie para pedir dinero prestado o cosas por el estilo ¿está claro? porque él no tenía nadie de la familia en Baurú, y él se empezó a volver loco ¿a quién era que le iba a pedir? Entonces le habló al tipo ése, y el tipo, "Con todo gusto, no hay problema". Ahí él le propuso al tipo empeñar un reloj que él tenía, "Usted quédese con el reloj". Ahí el tipo, "No, no, usted es un joven honesto, muy bueno, nunca hizo porquerías en el pueblo que yo sepa, pero mejor si me deja algo, se lo agradezco". Era un reloj dorado, con malla metálica también, pero plateada nada más, qué tanto joder. Ahí él se fue para el otro pueblo por allá por Mato Grosso. Era el dueño de la pensión, donde todos comían de almuerzo y de cena. Ahí todo en paz. Ahí él salió, ya se había desligado de todo compromiso en el pueblo, y otra noche en el ómnibus ¿verdad? todo oscuro, todo negro, no se veía una mierda.

—Yo sé que el color negro te pone triste.

Para él el color negro de la noche representa un luto, que es cuando una persona está muy enferma para morirse, o que va a parir y puede morirse, o ya está muerta. Cuando él está triste el color negro representa un luto, y cuando está bien representa que es la hora de irse a dormir, para el descanso. Pero una vez que él no podía dormir, cuando la madre estaba quejándose del dolor que iba a nacer la Vilma, él se levantó y escribió una carta para la maestra.

—¿Por qué el negro es el color del luto? yo no sé por qué, le pregunté a mi mamá y ella tampoco sabe.

Él lo sabe, una cosa que viene de los antiguos ¿verdad? los esclavos, y todas esas cosas, cuando fue libertado el Brasil, el pueblo brasileño negro. Antes los negros no tenían las oportunidades que tienen ahora ¿no es cierto? de andar por la calle, salir por el campo y esto y lo otro, andaban con cadenas, con una soga en el pescuezo, cuando hacían algo raro o se querían montar a una mujer los mataban, y ese tipo de cosa. Generalmente a los negros no les gusta el luto, que les hace acordar del tiempo en que eran esclavos, y cuando hablan de la Princesa Isabel se ponen a temblar. Que fue la que les dio la libertad. Pero si la madre se va y vende la casa él no sabe a dónde va a ir a parar.

—Tú mamá duerme profundamente, ¿no te gustaría salir conmigo al jardín? porque si se te agita así tan fuerte el pecho al llorar, ella se podría despertar.

El hombre si es hombre no llora, y él se las va a aguantar.

—Salgamos que el aire te va a hacer bien, no hay luna y está muy oscuro.

Él siempre le preguntó a la Gloria por qué le gustaba la ropa negra. Ella no quería decir. Pero un día dijo, "La primera vez que te vi estabas de negro, todo de negro; a mí me gusta un tipo que ande vestido de negro". Ahí, qué joder, él se enojó, "Ya que estás diciendo que te gusta un tipo vestido de negro ¿cómo es el asunto? ¿soy yo de ropa negra o cualquier tipo vestido de negro?" Ahí ella, "No, a mí siempre me gustó el color negro, a partir de aquel momento en que te conocí, y te vi de negro, entonces te voy a hacer un pedido, que siempre te pongas algo negro para pasear conmigo". Entonces generalmente ellos dos andaban él de pantalón negro, o camisa negra, y ella de zapatillas negras o de blue jeans negros, siempre había algo negro entre ellos dos. Era así el asunto, planeado entre ellos dos.

—Los hombres no lloran, así me gusta, que te sepas aguantar. Un hombre derecho. Esta noche las estrellas no están brillando mucho ¿verdad?

Hay una hora en que el cielo queda más lindo, a esta hora, entre las dos y las tres de la mañana. Pero cuando está el cielo limpio, limpio, alguien mira y el cielo está todo diferente, la gente que realmente presta atención al cielo ¿no? Él realmente le presta mucha atención, a cada rato él acá está a la madrugada mirando al cielo. Fue la semana pasada, él se despertó como hoy a esta hora más o menos. Ahí salió al patio, miró para arriba, y la luna venía redondita así, esa media luna ¡linda! ¡linda! abriéndose como una flor ¿no? empezando a abrirse. Esta noche está oscuro y él no le preguntó a la madre cómo estaba la María da Gloria, si había oído decir algo de ella.

—Es cierto lo que decían antes.

Decían muchas cosas de ella, porque ella se creía que tenía un hijo y cuando nadie la veía lo ahogaba con la almohada y después se arrepentía y se iba hasta la comisaría si no la atajaban, para entregarse por culpable de un crimen, de matar a su hijo. Y la madre de ella se lo encontró a él por la calle la única vez que él volvió al pueblo y le dijo, "La vida de mi hija es un infierno en la tierra", porque un día envolvió algo en unos trapos y lo llevaba en brazos como a un hijo y cruzó la calle justo cuando pasaba un auto para que la pisara, a ella y al hijo.

—Eso fue algo que le pasó a otra, no a mí. ¿Qué es un infierno en la tierra?

Cuando estaban de novios en el jardín la Gloria siempre le hacía preguntas, de qué cosa le gustaba a él más en el mundo, y todo así, y mientras pasaban las horas y él le iba tocando todo lo que quería. Pero ella nunca le preguntó qué era un infierno en la tierra, porque entonces él le habría contestado y ahora se acordaría. Él ahora no sabe lo que es, y en la vida conviene saber dónde está lo malo, para no tomar por ese camino. Si ella lo pudiese escuchar él le haría también muchas preguntas, y así mientras pasarían las horas más oscuras de la noche.

—¿Y para tu mamá, cuál sería el infierno en la

tierra?

Para ella el cielo sería vivir siempre con su hijo, ella entonces comentando con él esta noche le dijo, "Caramba... no sé qué hacer". Y él, "Usted cuide de su salud, puede vender la casa nomás". Porque la casa está a nombre de ella. Es él el hijo que ella siempre quiso tener. Pero a él no le gustaría tener un hijo rebelde, que pelee ¿no es cierto? Ahí eso él no quiere, no lo va a aceptar como hijo. Porque hay criaturas muy buenas, que se controlan hablándoles y cosas así, pero hay hijos porfiados, nerviosos, que pelean, que tiran piedras, que putean, que dicen palabrotas, que no quieren a nadie, y eso a él no le gustaría. Eso para él podría ser el infierno en la tierra. Él no sabe.

—¿Cómo es el infierno en la tierra? ¿hay mucho fuego? ¿fogatas muy altas?

No, no hay nada, él no ve nada de eso. Él no sabe de esas cosas. A él las fogatas le gustan.

—¿No ves nada porque no hay luna y está muy oscuro?

Está haciendo frío y él piensa que en esta noche debe haber gente muy pobre que está durmiendo afuera, a la intemperie. Si llueve se apagan las fogatas y la gente tiembla de frío, sin techo.

—Tus hijos no son míos ¿verdad? A veces salen rebeldes porque el padre no es bueno ¿no es así?

Ya nacen rebeldes, ya nacen con el corazón malo, y son imposibles de sujetar, hay que pegarles, y pegarles es inútil, se vuelven más rebeldes todavía. Son vagos de nacimiento, nacen para robar y cuando nacen así no hay caso, no hay nada que los deje contentos. Por más que se les dé regalos, es inútil, ya el corazón es así.

—¿Qué tiene ese hijo tuyo adentro del corazón? mi sangre no ¿verdad?

Sangre mala, la sangre no es como si fuese de persona ¿verdad? a veces un león se doma más fácil que un hijo ¿no? porque un león es lo siguiente, si alguien lo cuida, todos los días, esa misma persona todos los días, el león va a encariñarse con el tipo, pero es un cariño traicionero ¿no es cierto? puede atacarlo de espaldas, cometer una traición de un momento para el otro.

—¿Pero no dicen que el león es el animal más noble de la selva?

No es cierto, es una de las bestias peores que existen, él sabe.

—Pero tu signo de las estrellas es el signo del león.

Pero el signo de él es un león calmo ¿verdad? Él tiene más responsabilidad con sus dos hijos que el padre de él tuvo en toda su puta vida. El padre de él nunca hizo nada, carajo, nunca lo ayudó. ¿Cuándo se puso él su primer par de zapatos? a los doce años, antes la cosa era andar descalzo ¿verdad? Él ahora, con la mala racha y todo, cuando puede a los dos hijos que tiene va y el día que tiene mil cruzeiros en el bolsillo les dice, "Eh, ahí está ese billete, para que les compres zapatos a las criaturas", y cosas por el estilo. Entonces los hijos de él andan bien vestidos, lindos, todos limpitos, y eso es lo que a él le parece que es un verdadero padre. El padre que hace un hijo y lo deja por ahí, no es padre, no es un buen padre.

—¿Estás sintiendo frío, la madrugada está demasiado fresca?

Él se va a entrar a la casa porque ya le dio frío y de nada se resfría. Él ya no aguantaba más por esos pueblos, más fríos que el carajo, por allá lejos de todo, puta CESP, por eso dejó ese trabajo. Él allá por Mato Grosso aguantó unos meses más, pero porque faltaba poco para las vacaciones.

—Yo sé que pronto te van a dar vacaciones allá en Mato Grosso ¿qué vas a hacer esos días?

Y él en aquella época le dijo al negro Zilmar que él también había creído que ella lo tenía olvidado, pero no era cierto. Cuando le tocaran las vacaciones de la CESP se iba a verla, porque ya se estaba volviendo medio loco ¿no? de ganas de verla.

—Entremos, no conviene que tomes frío.

Él se lo dijo al negro aquella vez, "Cuando me toquen las vacaciones de la CESP me voy a verla, porque ya me estoy volviendo medio loco ¿no? de ganas de verla".

—¿Vas a venir?

Sí, él se lo promete con su palabra de hombre, de hombre derecho.

Capítulo X

—¿Por qué estás mirando todo así, te habías olvidado de cómo era tu pueblo?

Él no se acordaba de que Cocotá era un pueblito así, y que la gente era tan pobre. Toda la gente se conoce y cualquiera habla con el que sea. Es un pueblo que está dividido en dos ¿verdad? que tiene el lado derecho y el lado izquierdo y en el medio pasa el río con casi cien metros de ancho.

—¿Qué te pasa? ¿por qué vas mirando a la gente con el rabo del ojo?

Un río con muchos pescados, y mucho animal feroz, el peor el yacaré. Y hay tapires como un chancho grande, con el hocico largo, cada vez que mira abre grandes los ojos. Y en la época de agosto ataca, porque está con cría. Se come al animal que sea, se agarra a las gallinas para llevárselas a la cría. Se agarra gatos, y hasta perros, y si una persona se descuida también se la agarra.

—¿Te acordabas de que la parte izquierda es donde están las casas mejores?

Sí, con la iglesia, y el paseo del río, y un bar muy bueno, y un restaurante de los finos, y un hotel también de gran calidad. Un solo hotel, pero bien limpio de afuera que él no conoce por dentro, y del lado derecho hay más población, con unos cerros donde se juntan a vivir los más pobres, el cerro del Kerosén y el cerro de Santa Fátima. Cada cerro con su nombre. Y las calles no asfaltadas pero bien empedradas, y algunas también de tierra. Y a seis kilómetros está la chacra. Media hora caminando tranquilo. Hay que pasar dos ríos pero de los angostos. Y con puentes, y un viaducto nuevo, que él no había visto. Y llegó el ómnibus a las cinco de la mañana y él se fue caminando para la chacra, para darse una ducha ¿verdad? y una afeitada de la puta que lo parió. Porque a la tarde iba a hacer una entrada al pueblo, de aquellas del gran carajo. Iba a salir de la chacra, iba a atravesar un maizal, los cañaverales, pasar las cascadas, un río, el otro, uno que tiene de aquellas piedras lindas, y toda aquella arboleda. Él salió de la chacra cuando el sol ya no estaba tan caliente, para no llegar todo sudado, y si tenía suerte y no se levantaba viento por el camino ¿verdad? iba a llegar con el pelo limpio como los del pueblo. Y a las seis empiezan en el parque a tocar los discos que pide la gente, todos los jueves. Y si ella ya está curada de los nervios van a hablar de muchas cosas, que se vaya con él para allá para Mato Grosso, que se escape con él.

—Una vez me dijiste una cosa que me gustó mucho. Si me la pudieras decir de nuevo me pondría muy contenta.

Él le decía muchas cosas cuando todavía no la conocía y la veía pasar, le decía, "¡Carajo! a esa rosa la quiero para un lindo florero".

—No, no era eso. Otra cosa, me la dijiste por acá cerca, donde tu papá sembró maíz.

¿Qué puede haber sido? él le prometió casarse enseguida, pero no podía.

—Eso ya lo sé, que no podías. Pero era otra cosa la que dijiste.

Un domingo a la tarde que había jugado al fútbol, él ya se había dado un baño, y estaba charlando en la plaza con los compañeros, ¿cómo anduvo el partido? ¿cuál jugó bien y cuál jugó mal? y ahí pasó ella, y él se dijo a él mismo, "Hoy la voy a dejar pasar, porque a gallina de casa no se le corre detrás". Pero ahí ella lo miró y él no se aguantó, fue y le dijo, "Mi jardín está necesitado de tus flores". Y pasaron unos días y ella pasó y fue ella que le dijo, "Mi jardín también está necesitado de tus flores". Porque ella como era una criatura todavía no tenía experiencia para inventar unas palabras de esas para gustar a alguien. Y él le contestó, "¿Dónde vas a plantar esas flores?" Y ella, "Ahí en la puerta misma de mi casa". Y ahí él dijo, "Yo nada de eso, yo las quiero plantar en la puerta de mi corazón". Ese tipo de charla.

—No, aquello que me dijiste fue otra cosa, y estoy segura de que te olvidaste.

Él no se acuerda. Pero no se lo va a confesar a ella, porque si ella se da cuenta... entonces va a descubrir todo.

—¿Qué es lo que voy a descubrir?

Que él es menos que ella. Es algo que ella nunca tiene que saber.

—¿En qué sentido es menos que ella?

Que la cabeza de él ni siquiera sirve para acordarse de eso que él le dijo una vez y a ella le gustó. Porque él no estudió, y el cerebro no está desarrollado. Él se acuerda de cosas que ella le dijo a él, de eso sí.

—Pero ahora viniste a Cocotá de vacaciones y te va a volver todo a la memoria. La música ya empezó en el parque, están poniendo los discos que cada uno va pidiendo.

Él se fue acercando al parque, a una cuadra se oía la música, él entró a un bar y pidió una copa del carajo más fuerte que tuvieran, para que no le temblaran más las manos. Si alguien pedía el disco de las "Hojas", él sabía que ella estaba ahí, en el parque. Un tipo anunciaba el disco por el altoparlante y decía quien lo pedía pero la inicial nada más, y dedicada a fulano, pero no decían ni la inicial, decían para el muchacho de la camisa amarilla. Pero él estaba con camisa negra. No importa, el trago le calentó los cojones y salió a la puerta del bar, para escuchar la música mejor, no se oía nada, estaban cambiando el disco o se había descompuesto el altoparlante. No, estaban cambiando el disco, "las hojas caen... el invierno ya llegó... pero dónde anda, dónde anda mi amor... que se fue sin darme un beso, sin siquiera saludar..." Y a él le empezaron a castañetear los dientes ¿qué mierda era que él le había dicho a ella? tenía que acordarse. En alguna otra parte, no en el campo de maíz, él le había prometido que cuando le dieran la fiesta porque se había recibido de maestra él iba a ir, y le iba a decir, "Muchas gracias por ser ahora maestra", y llegaba con un regalo, una cosa útil para la casa futura de los dos ¿está claro? una cosa útil con el nombre de él grabado. Y le había prometido también que cuando se perfeccionase en electricidad, y después en construcción civil, iba a ser un buen constructor, para hacer la propia casa, con jardín, plantas y todas esas cosas, con preferencia una casa blanca, la pared bien granulosa salpicada, ese tipo de casa, con paredes granulosas salpicadas. Pero ahí venía la guerra peor, ella quería las paredes lisas. Y él le explicaba cómo se hacía la masa para que quedara todo así una parte con más granitos que otra, y ella, "No, así no porque agarra el polvo". Y él, "No, yo lo prefiero así, a mí me gusta, da un poco más de trabajo para la limpieza, pero al hombre le gusta la mujer trabajadora". Ahí ella, "¡Carajo, tal vez quede bien!" porque ella es una mujer bien sexy ¿se entiende? le gusta mucho el sexo, porque hay dos tipos de mujer: están las que nacieron para la casa, para trabajar y nada más, para que se las monten no, y están las que nacieron para trabajar y para que se las monten, quiere decir que ella es del tipo de mujer que nació para trabajar y para que se la monten. Y él hizo su primer trabajo en el pueblo, muy bien hecho y a todo el mundo le gustó ¿verdad? porque mientras estudiaba trabajaba, él iba a estudiar ahí, cálculo de masa, cuántos fierros lleva esto y lo otro, todo ese asunto, de hacer hasta los cálculos, de cuántos ladrillos lleva una casa, y cuántos kilos de la puta que lo parió, y él ahora se acuerda de una cosa que le dijo a ella, una cosa que se había olvidado, que siempre le decía a ella, "Las primeras noches de casados vamos a dormir bien lejos" ¿sería eso lo que ella le está preguntando ahora? y ella, "No, no, yo quiero ponerme a dormir juntos desde la primera noche", y él, "Las primeras noches vamos a dormir bien separados, para ver si me vas a venir a buscar ¿está claro? las primeras noches que estemos casados". Pero ella no entendía, y él, "La primera noche te vas a dormir a una pieza separada". Era para ver si ella se animaba a ir a buscarlo y cosas de ese tipo. A la noche él dormía en la otra pieza para ver si ella venía a hacerle alguna demostración de amor, entonces ella venía, lo veía durmiendo, se quedaba acariciándolo. Ahí entonces él se iba a quedar esperándola, sin dormir, la una, las dos de la mañana, ella no viene y él la está esperando, amanecía el día, paciencia, él se iba para el trabajo. Y pasaba otro día, él salía del trabajo, volvía a la noche, se acostaba a dormir, bien lejos de ella, hasta que ella se sintiese sola y viniese a buscarlo ¿verdad? Y así pasaban las noches, una detrás de otra, siempre esperando que ella viniese a buscarlo, porque él no la iba a buscar por ninguna razón del mundo. Hasta que un día ella se iba a sentir tan sola y tenía que acercarse ¿no? de la manera que fuese. Porque estaban viviendo como amigos nada más, él llegaba, se daba un baño, cenaba, ella se iba a su pieza, él a la suya para ver quién aguantaba más tiempo solo, si era él o era ella, pero él había hecho el juramento que nunca la iba a buscar, tenía que ser ella. Era para ver si ella tenía el valor, si se entusiasmaba hasta ese punto ¿está claro? Porque él todos los días le iba a traer un regalo diferente para que le fuese subiendo el entusiasmo, entonces se le iba acercando cada vez más, a ella, que iba recibiendo esos regalos, cualquier regalito, un juguete, cualquier cosa, un frasco chico de perfume hoy, mañana un chupete para el hijo, el hijo futuro que iban a tener, todo ese tipo de cosas, y otro día un jabón, "Éste es un jaboncito para tu hijo, para que lo guardes de regalo, para tu futuro hijo", y pasaban los días, y otra vez le traía un camisón, algo por el estilo. Él llegaba, se lo ponía a ella él mismo, primero la desvestía y le dejaba el bikini nada más, y le ponía el camisón pero sin manosearla, sin jineteada posible, la tenía que mantener a cierta distancia, que ahí era una guerra de amor, una guerra para que el amor aumentase, uno buscando al otro. Y él también le prometía que cuando empezaran ahí le iba a demostrar que era un hombre muy joven y fuerte, entonces se podían correr cinco y seis carreras por noche. En esa época él podía hacer ese tipo de cálculo ¿verdad? Y la música se oía ahí en la puerta del bar, que llegaba desde el parque. Él empezó a caminar para allá mismo, despacito, se la dedicaba un tipo de inicial tal a la fulana de vestido tal, y terminando esa música se empezó a oír otra, él se encontró un compañero del equipo de antes, pero le dijo que iba apurado con mucho que hacer. Y terminó esa música y cuando él dobló y vio el parque, estaban como siempre los toboganes y los subibajas, para jugar los más chicos y se empezó a oír otra vez la misma cosa, el mismo disco de antes, "las hojas caen... el invierno ya llegó... pero dónde anda, dónde anda mi amor... que se fue sin darme un beso, sin siquiera saludar... como esas hojas que por el aire van..." Y era ella, estaba seguro él, que era ella que había pedido que repitieran ese disco, y él iba a pedir otro para contestarle, uno que dice cosas diferentes, "nunca más oíste hablar de mí... pero yo continué viéndote... en toda esta nostalgia que quedó... tanto tiempo ya pasó... pero nunca te olvidé... Cuántas veces yo pensé volver... y decirte que mi amor nada cambió... pero el silencio a todo fue mayor... y a la distancia cada día muero... sin que llegues a saber..." Él no se acercó adonde estaban tocando los discos porque había gente que lo conocía y no quería empezar a saludar a todos, él quería ver si estaba ella. Alguien pidió un disco, él miró desde la esquina y no la vio ¿qué era que él le dijo y ahora no se acuerda? ella un día le dedicó un disco, "Al joven de pelo largo, castaño, ojos castaños, tez blanca, camisa Vuelta al Mundo y pantalones negros, zapatos negros, reloj pulsera, de parte de una señorita de inicial M". Y él en Baurú había oído una cosa por la televisión que le gustó y cuando se la encontrara a ella se la iba a decir toda, él le iba a pedir que fuera como la esposa ideal que dijeron en la televisión, porque el asunto es el siguiente, "Para mí la mujer tiene que ser lo siguiente, debe considerar al hombre como si fuese un amigo, un excelente amigo ¿está claro? nunca pensar que él es el marido ¿no? vivir la vida como dos amigos, adentro de la casa, y lo mismo el padre con el hijo, bien amigos, bien íntimos, todo bien al descubierto, que los hijos aprendan todo lo que les diga el padre, Hijo: las cosas son así y así, explicar cómo es el mundo, en la época actual". En la época de él no hubo eso, hay que dejar ahí el libro abierto, con quien sea, con la mujer, con los hijos. El padre a los hijos y a la mujer, a todos igual ¿está claro? poner ahí el libro a la vista bien abierto, él piensa que así es mucho más claro, no quedarse escondiendo nada ¿verdad? Porque carajo, en este mundo, si a alguien no le enseñan, después en la calle no le enseñan tampoco. A casi dos cuadras se oía todavía el altoparlante, el joven que responde a la inicial de W solicita dedicar el disco siguiente a una señorita de vestido verde con lunares azules, "... nunca más oíste hablar de mí... pero yo continúe viéndote... en toda esta nostalgia que quedó... tanto tiempo ya pasó... pero nunca te olvidé... Cuántas veces yo pensé volver... y decirte que mi amor jamás cambió...".

—Yo también iba a decirte una cosa muy importante, pero se me olvidó, no me acuerdo más qué era.

Y él la miró a la madre, un día que estaba con los dolores del reumatismo, no aquellos de cuando iba a parir, y él no sabía qué decirle para alegrarla, y la madre se quedó mirándolo, porque él le quería decir alguna cosa muy importante, para resolver los problemas de ella, pero no sabía qué decirle, "¡Ay, hijito! ¡yo no sé lo que hacer!" Y ahí parecía que no era ella la que hablaba, parecía alguien que se iba a morir, "Con tanto cariño que estás arreglando esta casita de Santísimo, que el nombre está tan bien puesto, el sábado y domingo siempre en casa, arreglando algo". En Cocotá el padre mira el cielo para ver si hay nubes, porque se pone muy nervioso cuando no llueve, se queda mirando el pasto muriéndose seco. Las plantas y el sembrado se van muriendo. Ahí el padre se queda mal ¿verdad? putea a todo el mundo, "¡Puta madre, este año no va a llover!" Y a partir de ese momento se empieza a desesperar. Si llueve, cuando el hijo va a trabajar por los barrios con edificios altos de Río de Janeiro, el tráfico se pone del carajo, pero en las chacras todo el mundo se pone contento, porque la lluvia da manzanas, uva, banana, arroz. El padre entonces silba, canta, queda completamente diferente, le vuelve la esperanza. La esperanza de encontrarla, y si se la encuentra a la Gloria por ahí le va a decir que se escape con él, a la mañana en el primer ómnibus sin que nadie sepa, aunque él no se acuerde cuál fue esa cosa que él le dijo y que ella sí se acuerda ¿qué fue? él no se acuerda pero si se la encuentra le va a decir otra cosa que a ella siempre le gustaba, él le decía, "¡Qué lindo pelo largo! tan rubio parece de oro cómo brilla, ya no necesito espejo porque me miro en ese espejo tan limpito". Y un día que no los veía nadie lo hicieron, el pelo de ella le daba tres y cuatro vueltas al cogote de él. Y se ataban, esa noche entonces los dos se enrollaron todos en el pelo de ella, y en el de él, porque en esa época era melenudo, muchacho que iba a la moda, y a veces se enredaba el pelo de él con el de ella, y parecía que nunca más se iban a poder desatar uno del otro, "... cuántas veces yo pensé volver... y decirte que mi amor nada cambió... pero el silencio a todo fue mayor... y a la distancia cada día muero... sin que llegues a saber..." y él entró a un supermercado nuevo que no conocía, no era grande pero era nuevo, para comprar tabaco y ahí al fondo le pareció que estaba alguien, entonces él salió a la calle, sin comprar nada, y después al rato salió ella, la María da Gloria, a él le pareció que era un paquete de azúcar lo que llevaba en la mano. Ahí él le dijo, "¿Cómo estás? ¡me alegro de verte!" Y ella se quedó tan emocionada que no pudo decir nada, y miró para el suelo y después se fue corriendo para la casa. Él no le dijo nada más ¿hizo mal? ¿tenía que pararla y hablarle más? él no sabe por qué, pero la dejó irse a la casa. Y no la volvió a ver más. Él fue al parque el otro jueves y tampoco estaba, y ese día que él había llegado de Mato Grosso se volvió a la casa y la madre le preguntó si había visto a la María da Gloria, y él le contó la verdad, "La encontré a la salida del supermercado y la saludé, '¿Qué tal? ¿cómo estás?' fueron las únicas palabras, ella se quedó tan emocionada que se quedó ahí parada en seco, quería que yo le siguiese con la charla, pero yo corté ahí nomás, no insistí, paré ahí mismo, y ahí ella se quedó sin saber qué hacer, y yo me fui". Y al padre de él lo había visto a la mañana en el campo y se dieron un fuerte abrazo, pero ahora a la tarde estaba todo vestido y bañado el viejo, no se vino a conversar con él y la madre, los miraba de lejos, pero le sonreía al hijo. Y después el hijo vio que el padre estaba llorando, pero no sabía qué hacer ¿no? ¿qué le podía decir? y el padre fue y cortó unas rosas de las que venden y se acercó al hijo y se las dio. Y generalmente cuando a la tarde se quedaban los dos solos el padre se quedaba mirándolo, y lloraba, estaba muy cambiado, ya no empinaba el codo porque el médico se lo tenía prohibido. Y el padre no decía nada ¿será que se acordaba de cuando agarraba la escopeta, o peor, la cuchilla, y quería matar a alguno ahí en la cocina? El día que el hijo se fue de vuelta a Mato Grosso el padre fue y cortó más rosas todavía, lo trataba diferente, lo consideraba como hijo, y no decía nada, se quedaba mirándolo, que el hijo ahora era un hombre trabajador y honesto.

—Yo lo sé muy bien. Por eso, te sigo esperando.

CAPÍTULO XI

—Hijito ¿cuánto tiempo hace que no vas a Cocotá?

Hace cinco años que él no va otra vez a Cocotá. Hoy le trajo a la madre un bifazo de esos que a él le gustan, para olvidarse las penas, y carne molida para ella, de la mejor, sin grasa. Cobró una deuda de una puta ventana del carajo que le debían hacía un montón de tiempo. Pero para el tratamiento nuevo no alcanza, él sabe muy bien que ni cien ventanas juntas van a alcanzar.

—Nadie me preguntó nada, si estabas trabajando bien, es que la gente de ese pueblo es de esas muy envidiosas. Deben pensar que estás jugando a la pelota ganando mucho y eso les da rabia.

Él llega a la casa y cuando la madre le empieza a hablar él se va, sale al patio, se va al bar. Hoy él está muy cansado, ni ganas tiene de darse un baño, se fue a cobrar esa cuenta hasta Copacabana y salió de la casa a la mañana a las seis y llegó ahora a las diez de la noche, no puede levantarse de esta cama, él está jodido, bien reventado de cansado, estaban cerrando la carnicería esa de Copacabana y alcanzó justo a entrar y comprarse el bifazo, porque ya cerraban a las ocho de la noche. Y en el ómnibus no se pudo dormir.

—No me di cuenta que se me había terminado el arroz, pero en un rato ya está listo, no te duermas si no quién te despierta después, y un hombre tiene que alimentarse. Yo mientras te cuento, que todavía no te he contado tantas cosas de las de allá. Siempre te me estás quedando dormido, o te vas al bar ¿ya no te gusta más hablar un poco con la pobre vieja? No te voy a contar cosas tristes, que sé que no te gusta que me ande quejando. Tu pobre padre, él no preguntó nada, ni cómo estabas, pero se quedaba escuchando si yo le contaba algo a tus hermanas. Un hijo siempre quiere al padre, por más que no lo diga ¿verdad? es la ley de la sangre. Mejor que no lo veas, mal como está, está viejo que no se puede creer. El que la hace la paga, dicen. Y no te terminé de contar de la muchacha aquella que estaba enferma, pero hay gente buena que no se tendría que morir nunca, es que está muy grave la abuela de la Olga, yo la fui a ver, casi no reconoce, la cuida siempre la Teresa, el hijo es igual al negrito ¿el Zilmar nunca lo vio?

Él no le contesta, se hace el dormido. Ella se va a callar, no va a seguir hablando sola.

—Con la Teresa sí estuvimos hablando mucho, tiene otra criaturita más, de uno del pueblo, muy blanquita le salió la hija, y el hijo del negrito es negro cono el carbón. Y la pobre Teresa lloraba porque al morirse la vieja no sabe qué van a hacer con la casa, se tendrá que ir a vivir allá con los padres de la Olga. Con este otro tampoco se va a casar, pero es un hombre ya en edad, el negrito tenía quince años cuando le hizo el hijo ¿y quién le daba de comer a él? ¡como para pensar en el hijo! Paciencia, todo en orden, yo nunca la quise mucho pero lo mismo le pregunté por la Azucena, pero nadie sabe nada de ella, el padre se le murió y ella volvió a la casa de la madre, y se fueron a otro pueblo, a vivir para siempre, pero nadie sabe nada, y no se fue de la vergüenza porque estaba esperando hijo, no, no esperaba nada. La Teresa decía que las dos personas más buenas que había conocido en su vida eran la vieja y la Azucena, y una se había ido del pueblo y la vieja se estaba por ir al otro mundo, y ella estaba sola en la vida para criar a esos dos hijos. Todo el mundo tiene buen recuerdo de la Azucena, todos dicen que era buena, a lo mejor era así mismo y yo me equivoqué, a mí me parecía una cualquiera de cómo te andaba buscando todo el día. No era porque la madre había sido sirvienta, porque era una mujer muy decente la madre. Una mujer no debe andar así regalándose, así siempre le va a ir mal. Y yo a la Teresa le dije que se cuidara, porque ese hombre del pueblo cada tanto la va a ver y le puede hacer otro hijo, yo le dije que tomara los remedios, que se cuidara. Y ya no es la misma la Teresa, parece una mujer ya más vieja, y tiene veintinueve años. Y a la otra yo la había visto de lejos por el pueblo, pero un día que fui a la casa de la Olga la vi más de cerca, y me saludó. Yo tenía miedo de que me viniese a hablar, y que le diera el ataque de nervios, pero me saludó y entró en la casa, venía de la escuela con los libros y las cosas. Pero ya me habían dicho en la casa de la Olga que estaba bien la María da Gloria, que ya estaba media sana, porque volvió a ir a la escuela, ya desde el año pasado. Y lo que no va es a los bailes, o no iba.

Él entonces le preguntó a la madre cualquier cosa, si este año había llovido más que el año pasado, ¿verdad? y si el padre iba a poder arreglar los techos, cuando hiciera la cosecha de los zapallos.

—Él está muy cambiado, tu padre no es como antes, ya no está mirando todo el día si va a llover, si se juntan las nubes, y si la luna está con agua. Trabaja todo el día el pobre, despacio, pero desde antes de aclarar ya está afuera, no tiene ni una vaca, no sé para qué se levanta tan temprano. Yo me levantaba con él, y siempre llegaba al hospital la primera de todas. Y esperaba hasta que llegara el doctor, aunque a veces lo peor es estar sentada para los que sufrimos con esta cruz del reumatismo, una cruz bien pesada, pero cuando una está ahí en el hospital ve cosas mucho peores, y se conforma con lo que Dios le mandó, esas mujeres que entran tan flacas, a darse algún tratamiento, amarillas, que se ve que les queda muy poco para vivir. Y una mañana yo la vi que venía con otra muchachita de la escuela, pero mucho más joven que ella, porque ella perdió todos esos años y ahora tiene veintiséis me contó. Yo primero creí que eran no sé quiénes, la otra muchachita, y otras que llegaron después. Pensé que eran algunas que la acompañaban para hacerse la cura de los nervios. Alguna que le había conseguido la madre para que la acompañara. Pero después ella me dijo que eran las compañeras de la escuela, y que habían venido a vacunarse, por orden de los de la escuela. Yo la vi venir y la saludé, porque ella ya me había saludado muy atenta cuando la vi desde la vereda de la casa de la Olga. Y entonces me pareció que estaba contenta que yo la saludé, y me vino a hablar, yo me había quedado ahí sentada donde espera la gente al doctor. Y me dio un beso, y que cuántos años que no me veía. Entonces yo le conté que me había venido acá a Santísimo hace ya años, y que tu padre quiso dejar la chacra porque nunca llovía y le había ido tan mal, pero que no le gustó estar de estibador en el puerto, eso le gustó menos todavía, y que él se quiso volver pero yo me quedé cuidando al hijo, que todavía andaba soltero, o que eso era lo que decías, pero sí que te habías casado por la iglesia y por todo, aunque ahora estabas separado, y ahí me miró muy fijo, pero después bajó la vista. Me parece que se iba a animar a decir algo y después no. Quién sabe qué era. Y le conté que habías dejado el empleo de la CESP y te habías venido acá a Santísimo, para ver si progresabas haciendo trabajos no de albañil, de cosas más difíciles de hacer, que un albañil solo no podía hacer, porque no se te había olvidado lo de la escuela en Cocotá, y podías hacer trabajos de un albañil bien capacitado, más que eso, lo que hacen los capataces de obras, y con algún ayudante que te conseguías hacías muy buenos trabajos, pero que era una vida muy sacrificada, porque son dos horas casi de viaje hasta los barrios donde hay siempre trabajo, en las partes mejores de Río. Y ahí me preguntó qué me pasaba que estaba en el hospital, si parecía bien sana, siempre un poco gorda, que es buena señal de salud, y todo eso. Y entonces le conté que era para ver si me daban otro tratamiento del reumatismo, menos caro, y que me habían recomendado que no trabajara mucho, y que descansara, entonces la cuestión era si me volvía a Cocotá para siempre, donde mi hija mayor me puede cuidar, aunque ella tenga toda esa porretada de hijos, pero no le dije nada que íbamos a tener que vender la casa esta, si no había otro remedio. Eso yo no se lo digo a nadie, porque se me parte el alma de pensarlo nomás. Y me dijo que si me volvía a vivir a Cocotá pasara un día a verla, aunque yo ya no trabajara en la casa de la Olga podía un día acercarme hasta la casa de ella. Y yo le dije que no, porque la madre no iba a querer, porque yo nunca había trabajado fuera de mi casa, hasta que no hubo otro remedio y estuve todos esos años de sirvienta en casa de la Olga. Y que yo sabía el lugar que me correspondía y no me gustaba ir a una casa donde la gente no está acostumbrada, a que fuera alguien que era sirvienta antes, en la casa de enfrente. Y ella me dijo que ella sabía que en mi familia no habíamos sido sirvientas, pero que la vida es así, cuando hay que trabajar no queda más remedio, y que ella sabía muy bien que la vida se encarga de enseñarte a no ser tan orgulloso, y cosas así. Entonces yo me animé y le pregunté qué estaba haciendo ahí en el hospital. Y ella me contó que era para la vacuna, y todo eso. Y que ya este año se recibe de maestra, que le da medio vergüenza estar entre las otras más jóvenes, como diez años más chicas, porque no pudo estudiar todos esos años, pero ya está bien. Y yo le pregunté por qué no salía más, una chica linda como ella, porque yo me acordaba que la madre de la Olga me había dicho que no iba a los bailes, ni al parque los jueves. Y la María da Gloria se sonrió un poco y no contestó nada, así, cualquier cosa me dijo, para dejarme pensando. Y yo ahí tenía ganas de decirle que no estaba bien lo que había pasado, que en el pueblo todos te tenían rabia porque te echaban la culpa de ser el causante de todo, que ella se había enfermado de los nervios, aunque había mucha gente que le echaba la culpa a los padres de ella, que no te querían verte noviando a escondidas con ella. Y yo tenía ganas de decirle que por eso yo no los había dejado entrar en el galpón de la chacra aquella noche, porque sabía que los padres no te querían, que eras todavía muy joven y todavía no te habías hecho un camino en la vida.

Él le preguntó a la madre si no le había escondido los cigarrillos ¿no? que no los podía encontrar, aunque él no se acordaba si los había dejado olvidados en la obra en construcción, ¿verdad? pero que ya se le había pasado el resfrío y si se los había escondido ahora se los tenía que devolver, que no le iba a hacer mal fumar uno o dos cigarrillos ¿está claro?

—Yo no te escondí nada, siempre me estás diciendo eso, te los escondí cuando estabas con la fiebre, aquella otra vez, pero ahora yo no escondí nada. Tu padre también sigue fumando, yo ya me cansé de decirle que le hace mal. ¿Sabías una cosa?

me mandaron saludos para que te los diera. Fue tu padre que me dijo que el Matías había vuelto al pueblo, y él sí le preguntó a tu padre, "¿Y el Josemar? ¿qué hace el Josemar?" porque el Matías es agrónomo, lo mismo que el hermano de la María da Gloria, y estuvieron por la chacra, porque el dueño del campo les pidió que vieran unas canaletas, que siempre se secan, y todo eso. Yo a la María da Gloria ahí en el hospital no me animé a preguntarle nada, porque la Olga y la madre me dijeron que ya alguna gente lo sabe, pero no quieren todavía que se sepa mucho, y es que el Matías estuvo para las vacaciones de él, que vive en Minas Gerais, donde está trabajando, en unos campos de maíz muy grandes que hay por ahí. El Matías no puede ir a Cocotá más que en las vacaciones, porque no puede dejar el trabajo. Y ese tipo de cosas.

Él le preguntó a la madre quién le mandaba saludos.

—Te manda muchos saludos el Matías, le dijo eso a tu padre ¿y cómo está el Josemar? y ¿cómo anda el Josemar? porque tiene un buen recuerdo, de un buen muchacho que eras, y que esto y que lo otro, y que nadie jugaba mejor a la pelota. Y ese tipo de cosas, que se dicen de corazón.

Él le preguntó a la madre algo, él estaba muy cansado, tirado en la cama, él miraba para la pared porque le dolía la vista, de todo el día colocando derechitos los mosaicos, él no miraba más que para la pared, la madre tenía la luz encendida al lado del fogón para calentar la plancha antes de echar el bife. Él le estaba dando la espalda pero le preguntó algo, si el Matías se había casado, o si se estaba por casar.

—El Matías no tiene otra novia, no. Parece que no tiene otra. Dice la madre de la Olga que está mejor de más hombre, con bigote, y no está así gordo como antes. Y que eso no lo dice a nadie la madre de la María da Gloria, pero con la madre de la Olga tiene mucha confianza, y le dijo que cuando llegó el Matías hacía años que no la veía a la María da Gloria, porque él había estado viviendo con ellos porque era hijo de un compadre, y se quedó viudo, y el Matías estuvo ahí en Cocotá, pero cuando se fue a estudiar de agrónomo ya no vino en las vacaciones y ahora cuando la encontró a la María da Gloria mucho mejor, que ya iba a la escuela, empezó a hablar mucho con ella, y a hacerle mucha compañía, porque ella sola no quería ir a ninguna parte, a pasear, ¿no? y con él fue un día a pasear por ahí al campo, que en la familia le tienen total confianza, como si fuera un hermano, y los padres estaban medios contentos de verla que quería que le trajeran algún pajarito nuevo para las jaulas, que tenía tantos antes, y después cuando se puso mal, ya no los quiso más. Y unos dicen que ella les abría la jaula, la Olga me dijo que no, que a ella le regaló unos cuantos, porque le traían malos recuerdos, o que la ponían triste, malos recuerdos no, no quise decir eso. Pero había gente que decía otras cosas. La Teresa me dijo y me juró que la vio a la María da Gloria que agarraba a los pajaritos de la jaula y los apretaba en la mano hasta que los hacía crujir, que les partía los huesos. Yo no le creo, ella la odia, porque era la íntima amiga de la Azucena ¿verdad? a ella no se le puede creer, porque es del bando contrario. Y el Matías la llevó también al parque de los jueves, y ella tenía mejor color en la cara, no estaba tan pálida, dice la madre de la Olga que años y años estuvo pálida mortal, por el asunto de la noche, de no poder descansar bien de noche. Y donde no había pisado más la Gloria era al baile, y se hizo un vestido nuevo y fue.

Él le preguntó a la madre una cosa, le pidió que no le hiciera el bife para él especialmente, que si se cocinaba algo para ella también, sí, o si no ¿para qué? porque él no tenía hambre y se iba un rato al bar. Y le preguntó una cosa, de qué color era el vestido nuevo ése que se hizo la muchacha ésa.

—No me dijo, o no me acuerdo. Pero le insistieron en la casa, o la convenció el Matías. Y fue. Y ahora el problema es que a la María da Gloria le tenían un trabajo preparado en la escuela, ni bien se recibiera de maestra, para enseñarle a los chicos más chiquitos, porque parece que ella tiene mucha paciencia, y había pedido eso ella. Pero le tenían reservado ese trabajo, y otras chicas de las de allá se quejaron, que ya se habían recibido un año antes, dos años antes, y todavía estaban esperando trabajo. Y esto me lo contó la Teresa, y es que una muchachita de ahí del campo de gente bien humilde ya estaba recibida hacía no sé si un año o dos, y por fin le ofrecieron un trabajo de maestra pero muy lejos, como a tres horas, y en el medio por allá del campo, que a ella no le importaba porque bien que era nacida y criada en el campo, pero a más de doscientos kilómetros se tenía que quedar a vivir sola en la escuela esa, con otra muchacha más. Bueno, pero lo que pasó es que se enteró que había ese puesto de maestra en Cocotá mismo, y se lo reservaban cuando la maestra vieja se jubilaba ese año, se lo reservaban a la Gloria, que tantas penalidades había pasado, y ya se tenía que haber recibido años antes. Y lo que pasó es que esta del campo, yo no sé si te acordarás de ella, era una criaturita cuando estabas allá, hija del Pascual Gonçalves, y ésta entonces se enteró que la Gloria a lo mejor no aceptaba el puesto de maestra en Cocotá, y ella antes de firmar los papeles del Ministerio para ir a la escuelita del campo quería saber si la Gloria aceptaba el puesto o no. Porque es a esta que te estoy contando que le tocaba el turno, si no era por la Gloria, que tiene la recomendación que la familia es de ahí del pueblo, y todo eso, y lo que ya te conté. Y la cuestión es que al final esta que te estoy contando, que se llama Regina, Regina Gonçalves, consiguió el puesto en el pueblo, porque la Gloria no lo va a aceptar, porque entonces la madre de la Olga y la Olga dicen que es que el Matías les pidió la mano, pero no quieren decir a nadie, para que no vuelva a haber otra vez las habladurías de la otra vez. Yo no sé, a mí no me gusta la gente así, hipócrita, pero después con todo lo que pasó un poco cambié idea, y creo como la Olga, que la Gloria te quería de veras, y la culpa no fue de ella, fue de la familia. La Olga siempre te defiende, no venía todos los días a verla a la madre, la madre se queja mucho, de que está cerca, y tiene automóvil el marido de la Olga, y que no venga por lo menos a darle un beso todas las tardes. Pero es que la Olga siempre fue así, es perezosa, y con los mellizos no tiene ganas de moverse a ninguna parte. Dicen que la casa está toda modernizada, yo nunca más fui, no sé si te acordarás tu padre cómo se ponía si nos acercábamos a esa casa. Tan linda casa. Y la Olga tiene razón de no querer moverse de ahí, de estar siempre en su preciosa casa, con sus hijos, y su marido, pero es un egoísmo no ir a ver a la madre. Dice la madre de la Olga que a las tardes le viene esa tristeza de estar sola, y con la pena de la suegra tan enferma, que se va a morir cualquier día. Y yo le dije que se llevara a la Teresa para la casa, pero la madre de la Olga dice que no lo quiere al tipo ése, que la Teresa lo sigue viendo, después de haberle hecho ese hijo y sin pasarle un centavo para criarlo, y ella lo sigue viendo. Claro que no lo dice a nadie la Teresa, pero lo ven al tipo que ronda la casa de la vieja por ahí por la noche. Y la misma Teresa me dijo que sí, que lo ve, porque ella lo quiere de veras. Yo estoy segura que la Azucena debe haber terminado igual, pero nadie sabe decir dónde está, y cuando se fueron del pueblo no estaba con panza ni nada. Pero la madre de la Olga siempre fue así, media egoísta, y no le importa de la Teresa, y la Olga es igualita a la madre. La suegra sí que era una santa mujer, para mí que ya se debe haber muerto, porque la semana pasada antes de venirme ya la había ido a ver el cura y todo, pobrecita, qué mujer tan buena, cómo se ha ganado el cariño de la gente. Y la Olga salió más a la madre que a la familia del padre, pero es buena muchacha, yo siempre la quise, a lo mejor es porque la he visto crecer, y uno que ha trabajado en la casa tantos años le conoce todo, hasta los secretos más grandes. Y esto ella me pidió por lo más sagrado que no te lo contara, pero yo creo que mejor te lo cuento, para que veas que hay gente que allá te tiene mucho cariño. Un día la Olga vino a la casa de la madre y yo había ido a cocinarles porque la madre de la Olga me pidió que fuera, porque ella iba a estar con la suegra, el día que fue el cura, y la Olga a último momento no quiso ir con ella, se quedó conmigo porque no quería ir con los chicos, que hacían ruido, a una casa donde se está muriendo una persona. Yo creo que es porque le daba tanta pena ver morirse a la abuela, una mujer tan cariñosa como fue. Y nos quedamos las dos solas, los chicos jugaban en el patio. Y la Olga me pidió que nunca te lo dijera, pero que me lo contaba para que viera qué buen hijo tenía. Y entonces empezó. Yo ya sabía, y quién no lo sabía, que de chiquita te adoraba, pero esas cosas de criaturas, pero ella era bien picarona, y adelantada para su edad, y le vino el desarrollo más pronto que a ninguna otra chica. Y entonces me dijo que ella desde siempre te había querido, y como mujer mismo, eso se animó a decirme, que te veía tan bonito muchacho como eras, y como ahora todavía, yo le dije, que estás siempre igual, bien cuidado, con la barba bien recortada, pero cuando le viene el desarrollo a una criatura que se vuelve mujer de golpe, pierde la cabeza, y si se enamora de algún hombre puede hacer cualquier locura si la madre no está ahí vigilándola. Yo por eso a tus hermanas nunca las dejé ir solas a ninguna parte en esa edad, ya cuando tienen quince o dieciséis años ya el corazón es otro. Y decía la Olga que ella se pasaba horas espiándolos cuando estabas noviando con la Gloria, porque el padre de la Gloria llegaba tarde y la madre de la Gloria los dejaba todo lo que quisieran, si es que se metían en el jardín, y que nadie los veía en la calle, eso no quería. Pero lo mismo en el pueblo se sabía que estaban de novios, porque en el baile bailaban mucho juntos, aunque la llevaba y la traía la madre. Y la Olga los espiaba, y se moría de celos, y dice que un día que estaban jugando con los hermanos te empezaron a tirar almohadas, porque eras mucho más fuerte, y más grande de edad también, y en un momento así de confusión te dio un beso en la boca. Y que con la confianza que te habían dado en la casa de ella te podrías haber aprovechado, porque era una casa grande, con muchos lugares para esconderse, y ella te estaba siempre provocando, para ir detrás de los árboles frutales. Como después de la escuela venías que yo te diera de almorzar con ellos, que iban a la otra escuela pero a la misma hora, y después peor, a la hora ya oscuro, cuando volvías y me acompañabas a casa después que yo lavaba los platos de la cena. Pero nunca le hiciste caso, porque respetabas la casa, y yo pienso también que porque no tenías ojos más que para la de enfrente, y estaba también la otra vaga, la Azucena, la descarada. Que no me la defiendan, que la Teresa me contó siempre todo lo que hacían. Pero entonces sí que la Olga me dejó con la boca abierta con lo que dijo, no sé cómo tuvo el coraje de decírmelo, la Olga es una muchacha de mucho carácter. Y fue así, dice que una noche, la última, que al día siguiente te fuiste sin despedirte de nadie, esa noche ella te estaba espiando como siempre mientras noviaban con la Gloria, y la oyó llorar, y entonces en vez de espiar desde la casa de ella salió y cruzó la calle porque quería escuchar lo que decían, detrás del cerco del ligustro. Y ella cuando llegó, la Olga, ya te estabas separando de la Gloria peleados, y cuando salías y te ibas la Gloria siempre se subía al balcón y te miraba hasta que doblabas la esquina, o hasta que te metías en la casa de la Olga que yo les tenía la cena lista. Pero esa noche la Gloria se metió en la casa, porque se había enojado para siempre, y entonces la Olga estaba ahí escondida detrás de unas plantas y te llamó. Y en vez de que entraras por la puerta de la casa de ella te hizo entrar por entre unas plantas donde el alambrado estaba roto, y te dijo que te quería hablar. Y estabas tan triste y tan nervioso, me dijo la Olga, que te temblaban las manos, y medio no podías hablar. Y ahora me da vergüenza a mí seguir contando, aunque a una madre no le tendría que dar vergüenza, con un hijo, que es carne de su carne, pero entonces, eso lo sabrás mejor que nadie, ella te empezó a querer consolar, y ahí al fondo del jardín se bajó su ropa interior de abajo y te la dio que la olieras, que siempre se la perfumaba con el perfume de la madre, esperando que un día sintieras qué lindo perfume usaba, y estabas ahí y ella misma te bajó los pantalones, como yo hacía cuando eras chiquito y tenías que sentarte a hacer tu caquita, y ella empezó a temblar de miedo porque era la primera vez que se le subía encima un hombre, y ahí le dijiste que estaba mal lo que hacían, y no quisiste seguir. Y le salvaste la honra para siempre. Y si no hubiera sido así ella ahora no tendría ni por asomo todo lo que tiene. Dice que ella nunca se había fijado en el marido, porque era medio de la edad de ella, un poco más grande, un año o dos cuanto más, pero para ella en esos tiempos él era una criaturita, porque le gustaban los más grandes, los hombres ya hechos, pero sabía que era el hijo de un hombre más rico que el padre de ella todavía, y que el padre del muchacho era dueño de las chacras, y que nosotros siempre le decíamos que era muy bueno ese hombre, lástima que tu padre no lo quería, por aquella habladuría. Y cuando el muchachito éste creció le empezó a gustar mucho, y ella dice, la Olga, que se te parece mucho, por eso lo empezó a mirar primero, y yo le dije que todos los muchachos bonitos se parecen un poco, y la Olga me dijo que sí, que era por eso. Y ahora es una señorona, la Olga, para mí es siempre la criaturita de antes, la más traviesa que hubo en el mundo, peor que cualquiera de mis hijos, pero la miro y veo que ya es toda una señorona, viviendo en aquella casona tan lujosa, donde yo nunca más volví a pisar, hace más de treinta años, cuando le llevábamos de regalo la primera canasta de duraznos a la finada madre del dueño, que le gustaban tanto los duraznos priscos. El dueño del campo era soltero todavía, y a tu padre le dio aquel ataque de celos. La

Olga tiene todo en la vida, con esos dos hijos bonitos que no se puede creer. Y ella me abrazó y me dijo que todo te lo debía, porque si aquella noche te hubieras aprovechado de ella, que se te había puesto tan descarada, la vida de ella habría terminado aquella noche, como le pasa a las mujeres que cometen una falta muy grande en este mundo. Y en cambio aquella noche fue cuando empezó la vida para ella, me dijo la Olga, hasta esa noche ella había sido una criaturita traviesa, y ya media descarada, pero que gracias al respeto que le tuviste, esa noche se volvió una mujer.

Él le va a decir a la madre que tiene que salir a buscar cigarrillos, y se va a ir hasta el bar porque no tiene hambre, no va a cenar nada. Y la suerte acompaña al que se lo merece, esta tarde le pagaron esa puta ventana los del departamento de allá de Copacabana, y tiene para tomarse una cerveza y convidar a los vagos que estén ahí, que seguro están jugando a los dados con la garganta seca. Unos tipos más pobres que el carajo, sin un billete para tomarse un buen trago.

Capítulo XII

Él no tuvo que firmar ningún papel, porque todo estaba a nombre de la madre, ni perdió un día de trabajo ni una mierda, él lo reconoce y no se queja, porque la madre fue a la escribanía sola y después le contó que la había acompañado la madre de los hijos de él. Se le había presentado ahí de visita y la madre le pidió que la acompañara a firmar la venta de la casa, que los anteojos no le sirven más y ella sabe leer pero ahora ya no ve con esos anteojos, y escribir no sabe pero firmar sí. Y el cheque se lo guarda ella, nadie se lo va a robar, se lo lleva a Cocotá y allá lo pone en el banco, y así va sacando lo que necesite para hacerse el tratamiento. Las hermanas de él allá la van a cuidar, todo ese tipo de cosas y qué tanto joder, no había otra puta manera, que él tiene que salir todas las mañanas a trabajar y ella se quedaba sola si le venía un ataque de algo. Y a él en un mes le da tiempo de sobra para encontrar alguna pieza por ahí. Porque todo se fue al carajo, pero la culpa no fue de él, nunca dejó de trabajar, ni un día que él se acuerde.

—Hijo, ¿ya te dormiste?... no me siento bien, me está doliendo la cintura, que no doy más. ¿Me hará mal si tomo otra vez el remedio?

La madre no quería vender la casa, y él, "Usted si quiere preocuparse preocúpese, eso es problema suyo, yo no tengo problema; usted está enferma, entonces venda, y con ese dinero cuida de su salud, y la vida sigue nomás". Y en la misma calle que él vive van a rematar un terreno, le dijeron que en Santísimo está valiendo doscientos cincuenta, trescientos mil cruzeiros, en efectivo ¿está claro? y que es buen negocio comprar, así no va a quedar pagando alquiler ¿qué? ¿toda la vida? es jodido el asunto. Entonces es por eso que la gente se vuelve loca ¿verdad? se le arma un lío en la cabeza, porque él no tiene billetes ni para una puta cuota, y si se compra el terreno todavía tiene que hacer la casa ¿verdad? Si él tuviera un amigo le diría que compre, porque es buen precio, si él tuviera un gran amigo que le prestase algo no se perdería esa ocasión ¿no es cierto? él lo poco que tenía era la casa y la va a perder ¿qué? ¡ya la perdió! porque mientras él tenía aquel dinerito en el setenta y siete él no lo dejaba escapar de la mano, los billetes bien agarrados, pero vino la operación y con todo el peligro que había mejor pagar que ir al hospital gratuito, pero la madre se dio cuenta que él estos últimos días llega a casa y está muy cambiado, no quiere casi ni hablar, no está para bromas. Era una piecita sola, y la cocina ahí mismo. Y él con el padre hicieron otra pieza, y el baño. Y hasta el último domingo él instaló un caño para traer el agua de la calle misma. El padre pagó mil quinientos cruzeiros, que ahora son mil quinientos centavos, puta madre que lo parió.

—Hoy no hice casi nada, virgen del cielo, estuve quieta todo el día ¿por qué me tiene que atacar así el dolor? Yo prefiero morirme antes que sufrir así.

Una persona que tenga un automóvil, pero que tenga que hacer una venta a la fuerza, y a esa persona le gusta el automóvil, lo vende solamente como último recurso, cuando ya no tiene billetes ni para comer ni para un vaso de agua, y ése es el caso de ella, de la madre de él, porque las consultas del médico son carísimas, los análisis que se hace, examen de esto, de lo otro, es muy caro todo, y los médicos mismos cobran carísimo y el hospital gratuito no sirve, termina de matar. Y él le pidió que le dejara la foto, pero si se olvida que se la lleve nomás, él no le va a andar rogando nada. La María da Gloria nunca vio la foto, de la madre de él cuando era criaturita, de ocho años, una postal en colores, no era foto de ella misma, porque en la familia eran pobres y en el campo no sacaban fotos, era una postal comprada pero la madre de él, un día la vio y se la pidió a alguien que la tenía, porque pensó que era igual a ella misma cuando era una criatura. Él ya se la pidió, y si la madre le pregunta otra vez qué quiere que le deje de recuerdo él no se lo va a decir otra vez, si ella se acuerda bien y si no a otra cosa, qué joder.

—El remedio no me calma nada ¿por qué estás tan callado esta noche?

La María da Gloria siempre le estaba haciendo preguntas a él cuando noviaban, "De la chacra donde siempre viviste ¿qué es lo que te da más rabia?" Y él le contestó que la planta con espinas, si un tipo pasa por ahí pensando en otra cosa se puede lastimar de veras, y entonces ella le preguntaba, "¿Y de la chacra qué es lo que más te gusta y que le tengas mucho cariño?" Y él le dijo que era una planta donde uno se podía quedar debajo hasta dormido que las víboras no lo atacaban porque no les gusta el olor que echa esa planta, que es un perfume muy bueno. Y si la María da Gloria le preguntase a qué le tiene más rabia él de esta casa de Santísimo él estaba pensando y no sabe qué puede ser. Y también una vez le preguntó qué le daba más rabia de la casa de la abuela de la Olga, porque no decía nada pero sabía que él era ahí que se metía casi todas las noches con la Azucena. Y él le dijo que lo que más rabia le daba era un clavo de una ventana, y ella no sabía por qué era y él tampoco se lo dijo, porque él cuando se metía por la ventana una vez se enganchó el pantalón y se le rompió. Y de la casa grandota del dueño del campo a él lo que más le gustaba era la cancha de fútbol, porque cuando él iba por ahí cerca y el dueño lo veía, cuando era chico, que se escapaba del padre, el dueño del campo le decía, "Vamos a jugar un poco a la pelota, que te voy a enseñar cómo se hace para gambetear", y esto y aquello. Y le enseñó y cuando se hizo grande él era el que mejor jugaba y todos le preguntaban, "¿Dónde aprendiste a hacer esas gambetas?" Y de la casa de la Olga lo que a él más le gustaba era la cocina, donde habían hecho tantos buenos bifazos de esos que a él le gustan. Y de la casa de la Gloria a él lo que más rabia le daba era ese árbol donde ellos estaban apoyados siempre noviando, y donde aquella noche estuvieron juntos por última vez.

—Gracias a Dios ya me está calmando el dolor, no te quedes despierto, yo creo que pronto me voy a dormir.

Él no se puede dormir, se da vuelta de un lado, del otro, se coloca de un lado, del otro, hoy jugó mal a la pelota, estaba pensando en otra cosa, ni una buena gambeta pudo hacer ¿verdad?

—Mañana es lunes y otra vez hay que levantarse temprano, es hora de que te duermas.

Ni un billete le queda para mañana tomar el ómnibus para ir al trabajo, cuando no lo vea la madre le va a sacar a ella de su billetera ¡miseria de mierda! ¡si él no ha dejado de trabajar ni un solo día de su vida, puta suerte de mierda! Es que esta noche él no se va a poder dormir, él también tiene una cosa adentro que se le va cerrando cada vez más fuerte, como un puño.

—Hijo ¿qué te pasa, por qué te estás revolcando así? ¿por qué no estás ya descansando? sin juntar las fuerzas a la noche no se puede trabajar al día siguiente.

Él no le contestó a la madre, ni le va a contestar, porque si le empieza a hablar le va a decir cualquier mierda que le venga a la cabeza.

—Es que yo sé lo que te pasa, y es que no me vas a perdonar nunca que venda la casa y te deje sin nada, aunque la culpa no es mía... Y yo me voy a morir de la pena, eso va a ser peor que cualquier enfermedad...

¡Vieja de mierda! ¡vieja puta! ¡vieja sarnosa y la

puta madre que te parió! que la culpa de todo es tuya, vieja inmunda, ella estaba entrando al galpón, ella me quería, ella estaba decidida esa noche, y yo la iba a preñar ¡bien preñada! ¡ése era mi plan! ya después los padres no iban a poder decir nada. Pero ese día la asustaste, se arrepintió ¿no te das cuenta de eso? y la hiciste sentir como una puta, ese día que por fin me iba a dar lo que tenía, guardado para mí, y después ya nunca más la pude convencer, y me empezó a decir que la madre le decía que yo era el noviecito para jugar, nada más, cuando era criatura, pero que ahora era una señorita y tenía que pensar en su futuro y que si el padre se enteraba que todas las noches estábamos ahí noviando se iba a enojar en serio. Y yo le empecé a decir que si ella no me quería porque yo era pobre entonces mejor nos dejábamos de una vez. Y ella que no, que no, que ella me quería. Y una noche yo llegué ¿me estás escuchando vieja puta? y ella estaba con la cabeza agachada, mirando para abajo y me dijo que la madre le había prohibido verme nunca más, porque si no se lo iba a decir al padre, y entonces sí que se acababa todo ¿no? y que no importaba tanto que yo era pobre y que era hijo de la sirvienta de la casa de enfrente, pero que lo malo es que yo no hacía nada, no le ayudaba a mi padre, y digo yo, si eso era un padre. Y que yo iba a la escuela de los albañiles a la mañana y toda la tarde andaba por ahí de vago, diciendo que yo era el que mejor jugaba a la pelota, y es cierto que yo era el mejor ¿hay algo de malo en eso? y a la noche metido en algún lío de mujeres, ¿no? porque todo el mundo sabía de la

Azucena, y por culpa de usted más que nada que usted lo anduvo diciendo a todo el mundo ¿no se podía estar callada? ¡no! ¡vieja de mierda! ¡muérase de una vez, tanto que dice que el sufrimiento es peor que la muerte! ¡pero no se muere! Y por eso era que decían que yo era un aprovechador y un sinvergüenza, que la Azucena ahora estaba manchada para siempre. Y ahí la madre de la Gloria parece que estaba arrepentida de haberme dado confianza, y eso era lo que decía, según la Gloria, que yo me había aprovechado que era el hijo de la sirvienta y en la casa de la Olga me habían dado confianza por eso, y por eso me dejaban entrar adentro de la casa y que ella vio que me dejaban entrar a lo de la Olga, y ahí entonces ella me dejó entrar también, pero que ahora basta ¿está claro? si la veía otra vez conmigo, se lo contaba todo al padre. ¡Y ésa fue tu obra, vieja asquerosa! Y él le dijo a la Gloria que ahí mismo se la iba a montar y ella le dijo que él tenía que cambiar y volverse bueno, y trabajar con el padre de él en el campo y cuando ella fuera mayor de edad se iba a casar con él, que los dos tenían que tener paciencia y esperar, pero que la separación era la prueba del amor y ahí él le dio un cachetón del carajo, que es lo que hay que hacer con ustedes, putas y traidoras todas. Y ella ahí ¿qué iba a hacer? se echó a llorar y después le dijo que nunca más lo iba a ver, y ella llorando le decía que ella sí lo quería y él no. Y él se fue, y se podría haber preñado a la Olga que estaba ahí esperándolo, pero no la tocó, él no sabe por qué. Lo mismo todo se jodió ¡vieja de mierda y reputa hija de la más puta de las indias!

—Hijo... si estás despierto... por favor... la tableta esa que dejé preparada, se me parte la cintura del dolor, no me puedo levantar.

Se le parte la cintura del dolor, no se puede levantar. Por eso toma el remedio, y pide que se lo alcance, y las hijas no están, él se la tiene que alcanzar... ¿o no? Y la madre de él ahora también sabe que él no es un sinvergüenza, y un aprovechador ¿verdad? la Olga se lo contó, pero está enferma y hay que ayudarla para que se cure, ahí bastantes problemas ya tiene ella, él es un hombre ¿está claro? y le va a demostrar a todos que no es ni un sinvergüenza ni un aprovechador ¿no?

—Gracias... ¿Estabas soñando algo malo? te oía que te dabas vuelta en tu cama, nervioso como no sé qué.

El dueño del campo un día le dijo, "Una criaturita apenas, y ya qué buena pierna estás teniendo para la pelota". Y él ahora si tuviera para pagarse el pasaje se iba hasta Cocotá, y le pedía unos billetes al dueño del campo para comprarse el terreno, y le decía, "¿Usted no me prestaría unos billetes para comprarme un terreno? no sé cómo se los voy a devolver, pero si la suerte me ayuda me voy a jugarle a la lotería todos los meses". Seguro que le prestaba el dueño del campo los billetes, pero él no tiene ni para el ómnibus de ir a trabajar mañana. Ahí le va a tener que sacar a la madre de la billetera, después del partido de esta tarde se tomó más de una cerveza ¿no?

—¿Por qué no estás durmiendo ya? ¿te pusieron muy nervioso las criaturas?

La madre de los hijos estuvo hoy otra vez, una visita especial de domingo acá, cuando él estaba saliendo para el partido. Eran las tres de la tarde, ahí llegó ella. Él no volvió hasta las once pasadas, de la noche. Cuando él llegó ella ya no estaba. Se quedó conversando con la madre de él. Él le dijo, "Con tu permiso, me voy a jugar a la pelota que tengo un partido bien importante". Ahí ella se dio vuelta para mirarlo y le dijo, "Hasta el día de hoy que no has parado con la pelota; es peligroso, si te lastiman vas a tener que trabajar mañana lunes y no vas a poder". Lo que ella le decía siempre, y él, "Es peligroso, pero me gusta jugar a la pelota". Y él se fue al partido y no volvió hasta las once de la noche. Ahí después del partido él y otros se fueron a conversar, comentar del partido y cómo andaba el equipo. Hoy tuvieron una victoria brillante, siete a tres, él hizo dos goles, como de costumbre, no hay un partido que deje de meter su golazo. Y ella le dijo algo, para joderlo, porque ella es así, siempre haciéndole la guerra, "Así que a jugar un partido, y no sé cuánto... ¿no ves que estás con visita? están tus hijos". Ahí él abrazó a las criaturas, y le empezaron a dar besos, y le pidieron caramelos, cuando volviese, a la vuelta del partido, ese asunto de siempre ¿se entiende cómo es la cosa? Y ella otra vez con lo mismo, que gana nueve mil cruzeiros y el alquiler es de cinco mil ¿no? después que paga seiscientos de luz y agua y desagüe se queda pelada. Y tienen que comer con los cuatro mil que él le da para pensión de las criaturas. Que él le tiene que dar, porque no es joda, no. Un padre tiene que ser padre, si no, no tiene sentido. Pero así es, la realidad es así. Si él tuviera billetes no habría problema, compraba un terrenito y hacía una casa chica para ellos, él sabe hacer una casa. Pero está difícil que junte esos billetes.

—Si te cuesta dormirte podrías prender la luz, a mí no me molesta.

Él le dijo a la madre que no se preocupase, que él estaba bien, que no tenía sueño y nada más ¿verdad? y se levantó y se puso los pantalones. Ahí salió al patio, y lo que más rabia le da de esa casa es la tranquera, que se queda atrancada y cuando él llega cansado tiene que estar ahí forcejeando. Y lo que más le gusta de esa casa es las plantas, la planta de mangos, que antes eran bien chicas, y las de bananas. Y hay luna brillando. Él cuando tenía doce, trece años miraba al cielo en el campo y estaba lleno de planes en la cabeza. Pensaba muchas tonteras que no se debe, pero hacía también muchas cosas que no se debe. Y cuando la gente mira al cielo se acuerda de muchas cosas diferentes, de las novias, de cuando era más joven y de todo lo que estaba sucediendo, se acuerda de su vida entera. Y de los planes. Uno de los planes era tener su automóvil, que nunca tuvo, suerte del carajo, y el otro asunto principal para él era crecer, y ser bien alto. Y andar bien vestido, ser un tipo de progreso, un tipo que lucha y contribuye al progreso, y que gana billetes. Que no se cumplió nada de eso ¿verdad? Alto sí, creció bien como quería. Entonces cuando la gente mira a la luna piensa en todo eso. A él le gusta mirar al cielo y las estrellas, porque es lindo, pero en el campo es mejor. Se ve nada más que la noche linda en el campo, campo libre, donde no existen las lámparas, que arruinan todo. Ahí si alguien mira para arriba ve lo que es un cielo lindo de veras. Y la madre de él parece que se durmió, no se queja más, acá en el patio no se oye ¿verdad? ya mañana él le va a sacar unos billetes para el viaje y nada más, y no es cierto que el sufrimiento es peor que la muerte. La muerte es lo peor que hay. La muerte es una cosa terrible. A él no le gustaría morirse, cuando uno se muere se termina todo, quedan las hembras por ahí, quedan los amigos, los compañeros de trabajo, la muchachada toda. Y la gente prácticamente se olvida del que se murió. Uno tiene un excelente amigo, se muere y se acuerda de él un tiempo y después se va olvidando, como del Rogerio, que se murió, de picadura de cobra, y él se acordó del Rogerio un tiempo y ahora ya hacía años que no pensaba en el Rogerio. Un amigo se muere y uno se hace de otros amigos, y se olvida, eso es la muerte. La muerte es lo peor que hay, porque si alguien se muere la gente se olvida de él.

—¡Josemar! hijo... No tomes frío ¿por qué saliste así tan desabrigado? Vamos, entremos que está muy fresco. Yo me dormí un rato, se me pasó el dolor... Pero me volví a despertar, debe ser que me quedé con ganas de decirte una cosa. Y es que esta noche me dolió tanto la cintura, tanto, que me acordé del dolor que sentí cuando naciste. Y me acordé de lo que pensé cuando te vi por primera vez. Y es que ahí cuando recién naciste pensé una cosa, así porque sí, sin ninguna razón y es que te iba a querer mucho, más que a mis otros hijos, no sé por qué. Y después con el tiempo pensé que eso estaba mal, porque a todos los hijos se los quiere igual. Pero después creciste ya un poco y me di cuenta que me querías más que los otros, los de la familia. Todos me querían mucho cuando les daba algo, pero si no les daba nada no me querían tanto. Pero con el Josemar no, pensaba yo, él me quiere mucho porque sí nomás, aunque no le dé nada. Y entonces pasaron los años y siempre fue así. Y esta noche yo pensaba, pobres los otros, si no les doy nada no me quieren mucho, y es que ellos pobres están siempre con la necesidad de alguna cosa, no tienen nada, mientras que al Josemar lo quieren de todas partes, porque es tan lindo, y él no anda siempre necesitando de tanto como los otros, porque está lleno de cosas, y del cariño de tantas mujeres que le van atrás, algunas descaradas y otras no. Y por eso él me puede querer mucho y no me pide nada, porque él no tiene mucho dinero pero tiene otras cosas, y es como si fuera rico.

EPÍLOGO

Él esta mañana no se podía levantar, de poco que durmió anoche, pero parado en este ómnibus de mierda ni siquiera puede dormir un rato hasta llegar a Río. Por suerte ya esta semana se acaba el puto baño con sus putos mosaicos. Y no queda más que colocar el espejo. Él por lo menos se va a poder mirar un poco, para afeitarse, porque ni de eso tiene tiempo, que con tanto trabajo y tanta mierda ya ni se acuerda de la cara que tiene. Si estuviera sentado al lado de la ventanilla él se podría mirar en el vidrio. A veces se olvida de la cara de él mismo.

—¿Cuál fue la última vez que me viste?

Él la vio por última vez hace diez años, ocho años. Después siempre de lejos. Fue en Cocotá, Estado de Río. En la plaza del lado de la iglesia ¿verdad? ella le fue al encuentro, tenían cita ¿o cómo fue la cosa? de ahí salieron juntos, hasta el Club Municipal, a bailar toda la noche. ¿Y qué más pasó con ella? estuvieron en el baile hasta las dos y media de la madrugada, después se fueron a un hotel a hacer sus cosas ¿está claro? aquella noche.

—¿Y nadie se dio cuenta, que una chica de

quince años entraba a un hotel?

En el club había mucha gente, el pueblo no era muy grande, seis mil personas, seis mil habitantes. Pero se podía ir a un hotel, sin problemas, no ahí, en otro pueblo cerca ¿está claro? llegaron y tomaron una cervecita y demás. Fueron en automóvil, en esa época él tenía un Maverick, otros tiempos.

—¿Qué baile era ése?

Era un baile con música de Roberto Carlos, todo el tiempo, toda la noche discos de Roberto Carlos. Estaba la pileta de natación, y la cascada. Se subían por las piedras, una cascada llena de piedras, se metían entre los árboles, ahí mismo está la selva de veras.

—Yo te pregunté del baile, del baile de aquella noche.

El baile estaba abarrotado de gente, tres mil o cuatro mil personas. Ellos dos conocían a mucha gente, tanta, pero daba tiempo, ya se iba a presentar la ocasión de mandarse a mudar. En el baile estaban contentos, felices de la vida.

—¿De qué hablábamos en el baile?

Hablaban de amor, nada más que palabras bien dulces. Besitos, él le hacía convites y más convites, para salir del baile, porque hasta esa época no habían tenido ocasión de ir al hotel, porque ella todavía era muy joven, virgen ¿se entiende? Y a partir de aquel sábado, ella tomó unas copitas y se fueron al hotel.

—Las veces que volviste ¿alcanzaste a verme de lejos?

Cada vez que él vuelve, generalmente la ve, ella

trata de acercársele, pero él se le aleja ¿verdad? Aunque la próxima vez que él vuelva por allá, va a ver si le suelta alguna palabra más dulzona, a ella, alguna palabra de amigo, como al descuido ¿está claro? nada más que para aliviarle ese problema mental de ella, no había quedado bien de la cabeza, decían todos. De aquella última noche en el baile él se acuerda todo, hasta el último detalle. Ella se apareció con un vestido nuevo verde, y una cinta negra en el pelo, y él no se quedó atrás, apareció con un pantalón Lee que había salido en esa época, y una camisa Vuelta al Mundo. Era una camisa muy linda, poca gente la tenía, de precio ¿está claro?

—Pasó un tiempo largo en que nunca te acordabas de mí, ahora por suerte te has vuelto a acordar.

Y a cierta hora salieron del baile. Porque ella esa noche sintió que esa noche él se quería ir de veras del pueblo, fue entonces que le entregó aquello, pensando que así lo amarraba, "No te vayas nada, te vas a quedar conmigo ¿verdad?" Ahí él le dijo que no, que se iba lo mismo ¿está claro cómo fue la cosa? pero la verdad es que él no le dijo que la iba a abandonar esa noche, él le conocía los puntos flacos muy bien, ni muerto le iba a decir una cosa así, lo importante era hacerla salir del baile, una vez afuera él se encargaba de lo demás. Ahí él la metió en el automóvil, hablando ya de la cuestión, "Mi amor, nos vamos para otro pueblo, a gozar de algo nuevo, qué joder. Al fin de cuentas ya hace tres años que estamos de novios, y por eso creo que me merezco confianza, etcétera". Ahí ella lloró, se largó a llorar a todo pulmón, y él no aflojó ni un tranco, estaba embalado, con copas encima ¿no? En fin, que siguieron camino, llegaron a la pieza, se dieron una ducha ¿no? la ropa no había modo que ella se la sacase. Él se puso medio furioso. La agarró con fuerza, "¡No!", gritó ella, "¡A acostarse se ha dicho!" Él la acostó y le sacó la ropa, se empezaron a besar, a morderse y esas cosas. Ella lloraba como loca, desesperadamente. Entonces fue que él habló, "M'hijita, es inútil, de aquí no te vas a escapar, la noche es tuya y hay que aprovecharla". Pero a ella le gustó demasiado aquello la primera vez, "No te gustó tanto porque dolió muchísimo ¿está claro?", "No, el problema es el siguiente: yo tendría que haberte hecho caso, Josemar, y dejar que me hicieras esto el primer día que te conocí". Y ahí él le dijo, "Eso imposible porque cuando te conocí tenías doce años ¿o menos? en aquella época debías tener diez años. Yo nunca te habría hecho esto ¿está claro? ahora sí, ya estás en buena edad, aunque lo mismo te dolió". ¡Él andaba loco por ella!

—No me acuerdo de cómo era ese dolor, por más esfuerzo que hago no puedo acordarme.

Es difícil acordarse de todo, ella tenía de quince para dieciséis años, él si habla mucho de ese tema le viene la gana de ir a verla ¿está claro? Es que fueron muchas las noches que pasaron noviando, qué joder, paseaban primero por la plaza, después todas las casas del pueblo, paseaban, de veras, es cierto que paseaban. Después se quedaban en el jardín de ella, bien oscuro, bien apretaditos, hasta que se hacía tarde. Al irse él se daba vuelta por la calle y miraba la ventana de ella, estaba como siempre, despidiéndose con la mano, hasta que él doblaba por la calle de los árboles aquellos bien altos, más altos todavía que él, bastante más altos que él.

Impreso en el mes de marzo de 1982
en I. G. Seix y Barral Hnos., S. A.
Carretera de Cornellà, 134-138
Esplugues de Llobregat
(Barcelona)